이준 열사, 그 멀고 외로운 여정

이준 열사, 그 멀고 외로운 여정

1판 1쇄 발행 · 2010년 6월 10일

편저자 · 일성여자중고등학교
감수자 · (사)일성이준열사기념사업회

펴낸이 · 한성희
펴낸곳 · 도서출판 한비미디어

등록번호 · 제 2-2933호

서울 마포구 신수동 219번지
전화 · 02-877-7392
팩스 · 02-877-7340
E-mail : hbmedia@hanmail.net

ISBN 978-89-90167-46-0   03810

☞ 잘못 만들어진 책은 바꿔 드립니다.
☞ 책값은 뒤표지에 인쇄되어 있습니다.

이준 열사,
그 멀고 외로운 여정

— 검사의 길, 특사의 길, 국민 계몽의 길 —

(사)일성이준열사기념사업회

도서출판
한비미디어

차 례

부 록

□ 머리말

『이준 열사가 1907년 헤이그 만국평화회의 참석 시도 실패 후 할복한
지 1세기 만에 한국은 G20 정상회의를 개최하게 되면서 자국의 아픈 역사
를 다시 쓰고 있습니다.

한국은 경제위기에서 가장 빠르게 회복했으며, 최대 교역국인 중국과
주요 군사 우방인 미국 사이에서 위안화 절상 같은 현안 해결에 나서게
되는 등 국제 외교무대에서도 리더로 부상하고 있는 상황입니다.

전쟁 폐허에서 이제는 일본을 추격하는 아시아 경제 부국으로 성장한
한국을 전 세계 기업들이 주목하고 있습니다.』

— 2010년 3월 17일자 영국 〈파이낸셜 타임스〉 7면에 게재된 기사 내용의 일부

1907년 7월 14일 네덜란드 헤이그의 만국평화회의에서 일제의
침략 야욕을 규탄하는 할복 자결로 민족의 의분심을 격앙시키면서
세계만방에 대한독립의 정신을 강렬하게 심어 주신 일성 이준 열사.

그는 생사관이 뚜렷한 우국지사이며, 교육문화운동의 선구자이
셨습니다. 또한 우리 역사 최초로 민권과 자유 그리고 법치와 준법을
설파하고 실행한 민주시민운동가입니다.

당시 국민들에게 호법신(護法神)이라 불린 호법 영웅 일성 이준

(李儁) 열사는 우리 역사에서 손꼽힐 만한 청백리였으며, 지위 고하를 막론하고 법의 잣대를 들이대어 부패와 친일을 단죄한 검사의 사표(師表)였습니다.

그런가 하면 나라의 정세를 판단하는 뛰어난 식견과 혜안을 갖춘 국책 전문가였습니다.

열사의 연설이나 글들을 살펴보면, 우국충정과 함께 민중을 각성시키려는 선각자의 면모와 구국운동가로서의 생사관이 확연히 드러나고 있습니다.

그는 대한제국 말 명문가 출신도 아니고, 고관대작의 아들도 아닌 처지에 홀로 서울에 와서 대쪽같은 삶을 살다가 애국의 변을 토하고 장렬하게 생을 마감하셨습니다.

열사의 비범한 신념과 애국적 실천력에 우리는 고개 숙여 존경의 예를 갖추지 않을 수 없습니다.

국내외 정세가 역동하는 혼돈의 시대에 이준의 정신이 민족의 좌표가 되고, 이준의 혼이 후대들에게 이어진다면 우리나라는 이준 열사가 말하는 '위대한 나라'가 될 수 있다고 확신합니다.

　그간 대한제국과 이준 열사, 그리고 헤이그 특사와 관련하여 많은 연구를 해 오신 이태진, 이계형, 문용준 교수와 이선준, 이양재 등 기념사업회 연구진이 이룩한 연구 결과를 재편성하여 이준의 애국 정신을 건학 이념으로 하는 일성여자중고등학교와 (사)일성이준열 사기념사업회가 협력하여 이 책자를 펴냅니다.

　이 책의 역사적 가치를 높이기 위해 성심을 다해 출판하는 '도서출 판 한비미디어'의 한성희 대표와 편집진에게 감사하며, 지속적인 관심을 가져 주신 애국 시민 여러분에게 깊은 경의를 표하는 바입니 다.

2010년 5월

사단법인 일성이준열사기념사업회
이사장 **전 재 혁**

1장

구국운동에 바친
이준의 삶

1898년 서울 대안문(지금의 덕수궁 대한문) 앞에서 열린 만민공동회 모습

"이준 열사는 민중을 각성시키려는 선각
자의 면모와 구국 운동가로서의 생사관이
확연한 애국자이다."

— 이동재(전주 이씨 완풍대군파 종회장)

충신의 혈통을 이어받은 이준

이준(李儁) 열사는 1859년 1월 21일(음력 1858년 12월 28일) 함남 북청군 속후면 용전리 발영동에서 이병관(李秉瓘)과 청주 이씨 사이의 외동아들로 태어나 자랐다.

전주 이씨 완풍대군파 18대 손이다.

완풍대군(完豊大君) 이원계(李元桂, 1330~?) 공은 조선의 건국자 이성계(李成桂)의 형이며, 환조대왕(桓祖大王)의 맏아들로서 남에서는 왜군을 무찌르고 북에서는 홍건적을 쳐부순 공으로 벼슬이 영상에 이른 고려 말년의 공신이었다.

그러나 나라는 기울어져 가고, 국민의 마음이 동생 성계에게로 쏠리게 되자 형인 완풍대군은 난처해졌다.

동생 성계를 따르자니 지금까지 충성해 온 고려조에는 역적이 될 것이요, 고려왕의 편을 들자니 나라가 이미 기울어져 소용이 없었기 때문이다.

생각다 못한 완풍대군은 아래의 시를 써 놓고 자결함으로써 생을 마감했다.

이 나라 땅 안에 이 몸 둘 곳이 어디메뇨
지하에서 태백, 중옹★을 만나 놀고 싶구나
같은 처지에서 처신함이 다르다 말하지 마라
형만★으로 가는 바다에 뗏목 띄울 일 없으리라.

★ 태백(太伯), 중옹(仲雍)

태백과 그의 동생 중옹은 모두 주태왕(周太王)의 아들로서 왕 계력(季曆)의 형이었다. 계력이 현명한데다가 훌륭한 아들 창(昌)을 두었기 때문에, 태왕은 계력과 창을 왕으로 세우려고 했다. 결국 태백·중옹 두 사람은 계력을 피해 형만(荊蠻)의 오랑캐 속으로 들어갔다.

그 후 계력이 즉위하니 그가 곧 왕 계력(季曆)이고, 그의 아들 창은 문왕(文王)이 된다.

태백은 형만의 오랑캐 속으로 들어가서 스스로 오(吳)라고 국호를 정했다. 오랑캐들이 순응해서 따르는 이들이 1천여 호를 헤아렸고, 오태백(吳太伯)을 왕으로 세웠다.

태백이 죽고 아들이 없어서 동생 중옹이 즉위하니, 곧 오중옹(吳仲雍)이다. 중옹이 죽자 아들 계간(季簡)이 즉위했다. 계간이 죽자 아들 숙달(叔達)이 즉위했다. 숙달이 죽자 아들 주장(周章)이 즉위했다.

이때 주무왕(周武王)이 은(殷)나라를 무너뜨리고 태백과 중옹의 후손을 수소문한 끝에 주장을 찾게 되었다. 주장이 이미 오나라 임금이었기 때문에 그곳에 봉했다. 이어서 주장의 동생 우중(虞仲)을 주나라의 북쪽 옛 하(夏)나라 땅에 봉했고, 그는 제후의 반열에 올랐다.

★ 형만(荊蠻)

중국 초나라 시절 태백과 중옹이 살았던 곳.
옛날 중국(中國)의 한족(漢族)의 문명(文明)을 아직 받지 못한 민족(民族)들이 살던 양지강(揚子江) 이남(以南)의 땅.

무작정 상경하여 대원군을 만나다

이준의 어릴 때 이름은 성재(性在)라 했다. '성(性)'은 하늘의 뜻을 따른다는 뜻이요, '재(在)'는 인간이란 그 하늘의 뜻을 따름에 있다는 뜻이다.

젊은 시절 이름을 준(儁)으로 고치고 호는 일성(一醒)이라 했다. '준(儁)'은 세상에 널리 빛난다는 뜻이요, '일성(一醒)'은 세상을 한번 깨우친다는 뜻이다.

세 살 때 부모를 잃은 그는 조부 이명섭(李明燮)과 작은아버지 이병하(李秉夏) 밑에서 자라며 한학을 배우기 시작하여, 12세에 사서삼경에 이르렀다.

고향인 북청에서 러시아인들의 무례한 요구들을 가까이서 접하고, 외세의 침입에 관한 얘기들을 들으며 성장한 그는 나이 열두 살 때 북청 향시에 응해 합격했다.

그러나 나이가 워낙 어려 합격하고도 급제하지 못하는 일이 벌어졌다.

이준은 시험지를 들고 나와 북청 남문루에 올라가, 오가는 사람들에게 부당함을 호소했다.

이 사실이 북청 마을에 널리 퍼지게 되자 주만복이라는 사람이 이준의 할아버지에게 자기 딸과 이준을 혼인시킬 것을 제안하여, 이준은 열두 살의 나이에 장가를 들게 되었다.

주만복은 이준에게 각별한 사랑을 쏟아, 이준은 전보다 안정된 환경에서 학문에 매진할 수 있었다.

세상에 눈을 뜨면서 이준은 보다 넓은 세상으로 나가기로 결심하고, 열일곱 살 때 집에 편지를 써놓고 무작정 서울로 왔다.

연고도 없는 서울에서 이준은 고향 사람들인 북청 물장수들의 거처에서 물장수들이 전해 주는 소식들을 들으며 얹혀 지냈다.

일본 군함 운요호의 모습

당시 나라의 사정은 운요호가 부산항에 함부로 들어와 포격을 하는, 이른바 운요호 사건(雲揚號 事件)★ 등으로 공포심을 조성하던 때였다.

나라의 좌표를 놓고 조정

★ 운요호 사건(雲揚號 事件)
   1875년 9월 20일(고종 12년, 음력 8월 21일) 통상조약 체결을 위해 일본 군함 운요호가 불법으로 강화도에 들어와 측량을 구실로 정부 동태를 살피다 수비대와 전투를 벌인 사건이다.
   강화도 사건(江華島 事件)이라고도 불리며, 한국식 한자음 그대로 운양호 사건이라고 부르기도 한다.

마지막 황실. 왼쪽부터 고종과 순종. 궁녀. 오른쪽 두 사진은 대원군.

내부에 갈등이 일어나고 의견이 분분하던 시국에서, 국운을 걱정하던 이준은 홍선대원군(興宣大院君)★이 의정부에서 서울의 경운궁 거처로 왔다는 소식을 접했다.

그러던 어느 날 이준은 대원군을 만나게 되었고, 대원군과 함께 시국을 논하면서 나라의 앞날에 대해 깊은 우려를 표명하는 대화를 나눴다.

이때 대원군은 비록 어린 사람이지만 시국을 꿰뚫어보는 비상한 형안과 사물을 예리하게 판단하는 통찰력, 그리고 그의 인물됨에 탄복한다.

그리하여 당대에 강직하기로 소문났을 뿐 아니라 고종황제가 아

★ 홍선대원군(興宣大院君, 1820~1898)
조선 고종 때의 정치가. 이름은 이하응(李昰應). 호는 석파(石坡).
고종의 아버지로, 아들이 12세에 왕위에 오르자 섭정하여, 서원을 철폐하고 외척인 안동 김씨의 세력을 눌러 인재를 고르게 등용하는 등의 내정개혁을 단행했다.
한편으로는 경복궁의 중건, 천주교에 대한 탄압, 통상 수교의 거부 정책을 고수하여 사회·경제적인 혼란을 불러일으키기도 했다.

끼던 형조판서 김병시(金炳始)★ 대감에게 가 볼 것을 권유하며, 김 대감에게 그를 천거했다.

★ 김병시(金炳始, 1832~1898)

조선 후기 문신. 우의정·좌의정을 거쳐, 동학농민운동 때 청일 양군의 개입을 극력 반대했으나 뜻을 이루지 못했다.

농민운동 후 폐정 개혁을 적극 주장하여 교정청을 설치하게 하고 청일전쟁이 일어나자 사임하여 군국기무처독판에 취임하고, 중추원으로 개편됨에 따라 의장이 되었다.

명성왕후가 시해된 을미사변(乙未事變) 이후 신변에 위협을 느낀 고종과 왕세자가 1896년(건양 1년) 2월 11일부터 약 1년간 왕궁을 버리고 러시아 공관에 옮겨 거처한 아관파천(俄館播遷)으로 친러파 중심의 내각이 조직되어 내각 총리대신에 임명되었으나 취임하지 않았다.

사대당 보수파로서 개국(開國)을 반대하고, 1895년의 단발령에도 특진관(特進官)으로 있으면서 이를 반대했다. 문집에 〈용암집〉이 있다.

인생의 은인 김병시의 문객이 되다

　　대원군으로부터 이준의 됨됨이를 이미 들은 김병시 대감은 이준의 영민한 탁견을 높이 사고 자기 집에 머물면서 공부도 하고, 일도 거들 것을 권했다. 이로써 이준은 김병시 대감의 비서 겸 문객이 된 것이다. 이때 김 대감은 이준에게 해옥(海玉)이란 호를 지어 주기도 했다.

　　당시 시국 상황은 척화파와 개화파의 갈등 속에서 일본의 무력시위가 더욱 강해지는 때였다.

　　이준은 어렸을 때부터 외세를 걱정하면서, 나라를 부강하게 만든 후 개항해야 한다는 생각을 줄곧 가져왔다. 때문에 개항을 반대하는 입장에서 자신과 같은 생각을 지닌 최익현★ 대감을 존경했다.

★ 최익현(崔益鉉, 1833~1906)
조선 후기의 문신 · 학자 · 애국지사.
본관은 경주(慶州). 자는 찬겸(贊謙). 호는 면암(勉菴).
대유학자(大儒學者)로서 경복궁 중건의 중지, 취렴정책(聚斂政策)의 혁파, 당백전(當百錢)의 폐지, 사대문(四大門) 문세(門稅)의 폐지 등을 주장하며 대원군의 그러던 최익현이 유배를 떠나게 되자, 그는 숭례문까지 배웅하며 자신의 마음을 표하기도 했다.

김병시 대감은 자신이 옳다고 하는 일에 대해서는 머뭇거리지 않고 행동으로 옮기는 이준의 다소 과격한 성격을 우려하여, 성격을 다스리라는 충고도 해 주곤 했다.

또한 자신이 가는 곳이면 어디든지 데리고 다니면서 많은 것을 배우게 하는 등 그를 아꼈기에, 주위 사람들은 그런 이준을 '부대신' 이라 부르기도 했다.

그렇게 지내던 어느 날, 이준은 고향 친구가 찾아오자 김병시 대감의 아들인 김용규 소유의 담뱃대로 담배 대접을 했다. 그런데 때마침 들어와 이를 목격한 김용규가 상민에게 담뱃대를 물렸다 하여 이준을 책망하는 일이 생겼다.

이준은 김병시 대감의 아들에게 "그 따위 양반의 자존심은 버려라. 사람 있고 물건 있지, 양반 물건이라고 사람 위에 있단 말이냐!" 라고 하면서 김용규의 담뱃대를 분지르고, 보따리를 싸서 김병시의 집을 떠나 북청으로 돌아갔다.

이준의 이러한 행동에 모욕감을 참지 못한 김병시의 아들 김용규 는 함흥 감사 이돈하에게 이준을 체포하여 치욕감을 씻어 달라고 요구했다.

대내 정책을 비판했다.
갑오개혁 때 단발령에 반대했으며, 을사늑약을 반대하여 의병을 일으켰다. 유배지 쓰시마[對馬] 섬에서 단식사(斷食死)했다.
저서에 〈면암집(勉庵集)〉 등이 있다.

이에 이돈하가 북청에 사람을 보내서 이준을 잡아오도록 명령했고, 이 소식을 접한 한 사람이 이준에게 찾아와 피하라고 귀띔을 해 주었다.

그러나 이준은 피하기는커녕 당당하게 이돈하를 찾아가 이렇게 역설했다.

"담뱃대 하나로 벌을 준다면, 이는 공법이 아니라 사법이 아니겠습니까?"

이준의 말을 들은 함흥 감사 이돈하는 그의 말에 크게 공감하면서, 그를 처벌하는 대신 후히 대접해서 돌려보냈다고 한다.

뒤늦게 출발한 인생행로

　육영사업에 뜻을 두고 있던 이준은 함경도시(咸鏡道試)에 합격한 후, 고향 북청에 경학원(經學院)을 세웠다.

　외세의 침투로 위기에 처해 있는 나라를 바로 세우고 민족의 활로를 찾기 위해서는 후진 양성이 무엇보다도 필요하다는 것을 절감하고, 1887년에 함경감사 조병식(趙秉式)과 협의한 후 자기 소유 토지 2천 평을 희사하여 경학원(經學院)을 설립한 것이다.

　경학원에서는 15세에서 30세 되는 실력 있는 선비를 선발하여 인재로 키우는 데 주력했다.

　초시(初試)에 합격된 선비는 경학원의 추천으로 서울에서 과시(科試)에 응할 수 있게 되어, 북청 선비들의 중앙 진출이 다른 고을보다 많아졌다. 그 여파인지 북청의 개화 또한 빨라졌다.

　이렇듯 경학원은 북청 인재를 육성하는 산실이었다.

　그리고 보면 오늘날 국가 발전의 원동력이 되는 신교육도 이준의 창학 정신과 상통한다고 볼 수 있다.

　또한 이준은 이곳에서 당대의 석학・정객들과 광범하게 교의하면서 국가의 장래를 걱정하며 경륜을 넓혔다.

경학원은 뒤에 북청공립농업학교로 발전했다.

1889년, 이준은 김병시의 부름을 받고 다시 서울로 왔다.

〈한성주보〉가 신지식을 전파하고 있었고, 거리에 외국인도 많아졌으며, 영어와 서양문화까지 가르치는 육영공원★이 설립되는 등 서울은 급변하고 있었다.

이준은 명문대가의 자손들인 이시영, 이회영, 이상설 등 연하의 청년들과 교우관계를 맺었다.

1893년 이준의 나이 35세 때, 김병시 대감이 이준에게 결혼 문제를 꺼냈다.

이준은 한사코 사양했으나, 김병시 대감은 남자가 큰일을 하려면 부인의 내조가 필요하다면서 자신의 부인과 의자매로 한 집안처럼 가까이 지내는 집안의 규수를 중매했다.

이분이 바로 이화여고 출신의 이일정이다.

남편 이준과 17년의 나이 차이가 있었던 이일정은 평생 면관과 유배, 감옥생활과 태형 등으로 고달픈 인생행로를 걷는 이준의 반려자이자 동지가 되었다.

★ 육영공원(育英公院)
조선 후기의 교육 기관. 고종 23년(1886)에 나라에서 세운 최초의 현대식 학교로, 미국인 교사를 초빙하여 수학·지리학·외국어·정치경제학 등을 가르쳤는데, 한국 현대식 공립학교의 효시이다.
고종 31년(1894)에 폐지되었다.

순릉 참봉직 시절의 이준

그는 집을 팔아 서울의 안국동에 안현부인상점을 개점하여 청렴한 이준의 경제활동을 도왔고, 이준이 감옥에 들어가면 가두집회를 주도하기도 했다.

그리고 국채보상운동이 침체기에 접어들었을 때 신문에 격문을 기고하는 등 여러 가지로 활동하여, 우리나라 최초의 여성 기업인이자 여성 운동가로 손꼽히는 인물이 되었다.

1894년 1월 동학혁명★이 일어나고, 청나라와 일본의 군대가 한국에 파병되는 등 나라가 어수선했다.

그런 가운데 일본이 명성황후 정권을 무너뜨리고 대원군을 앞세

★ 동학혁명(東學革命)

1894년(고종 31년) 반봉건(反封建)·반침략(反侵略)의 기치 하에 조선 봉건사회 해체기에 노정되는 여러 문제를 변혁하려 했던 농민들의 사회개혁운동. 동학의 종교 조직을 근간으로 한 전봉준·김개남·손화중 등의 개혁활동에 농민·도시민·소상인·몰락 양반·이서 등 봉건사회 해체 과정에서 몰락한 계층이 광범하게 참여한 반제·반봉건 근대화운동이었다.

갑오농민전쟁·동학난·동학혁명운동·동학농민전쟁이라고도 한다.

워 정권을 세웠으며, 청나라와 전쟁을 벌였다.

나라가 이렇게 혼란스러워지자, 김병시 대감은 이준을 고향 부근인 함흥으로 내려 보냈다.

이준은 이곳에 있는 순릉(純陵, 태조 이성계의 조모 경순왕후의 능)의 참봉직을 맡아 봉직하면서 급격히 변화해 가는 국내외 정세를 지켜보며 때를 기다렸다.

미관말직에서 벗어나 구국의 길로 향하다

37세 때 이준은 우리나라 최초의 법관 양성소에 입학했다.

갑오개혁의 일환으로 만들어진 법관 양성소는 입학시험에 합격하거나 기존의 관직에 있던 사람들로 6개월간 수학케 하여 사법관의 자격을 부여한 최초의 사법기구였다.

당시 평균 나이가 30세였음을 감안할 때, 이준의 나이는 많은 것이었다.

38세 때 우등생을 제치고 가장 먼저 한성재판소 검사시보로 임명되었으나, 탐관오리 처리 문제로 고위층과 갈등을 빚다가 33일 만에 면관 당하게 된다.

이후 이준은 미관말직에서는 뜻을 펼 수 없다는 판단 아래 적극적인 사회활동에 참여한다. 그리고 그는 이 무렵에 어릴 적에 이성재에서 이선재(李璿在)로 바꿨던 이름을 이준(李儁)으로 개명하고, 일성(一醒)이란 호를 사용한다.

이 나라의 정치 풍토를 바로잡아야 한다는 것을 통감한 이준은 당시 개화된 신사조를 부르짖던 서재필·박영효·이상재 등과 함께 민권운동을 일으키는 데 앞장섰다.

민주주의의 효시라고 일컬어지는 이 운동을 통해 나라와 겨레를 좀먹는 악질적 탐관오리를 규탄하는 한편, 일제의 침략에 맞서 격렬한 저항운동을 펴나갔다.

1895년에 서재필과 협성회 조직, 1896년에 상동교회 청년회장직 피선, 그리고 같은 해에 서재필·이승만·이상재 등과 함께 독립협회★를 창립하고 초대 평의장으로 취임한다.

아울러 서재필·이승만과 함께 〈독립신문〉을 발간하여 민족의식을 고취하면서 가두연설을 통해 국민 계몽에 앞장서는 등으로 본격적인 행보를 거듭하자, 이준은 반대파의 미움을 사게 된다.

고종은 러시아 공사관으로 이어(移御)하는 아관파천(俄館播遷)★과 함께 친일 내각과 대신들을 역적으로 몰아 포살령을 내렸다.

★ 독립협회(獨立協會)
부르주아적 사회 계층이 중심이 되어 조직한 한국 최초의 근대적인 사회정치단체.
1896년 7월부터 1898년 12월에 걸쳐 자본주의 열강의 주권 침탈과 지배층의 중세적 인권 유린이 계속 자행되는 가운데 주권독립운동·민권운동·개화자강운동을 전개했다.

★ 아관파천(俄館播遷)
1896년 2월 11일부터 1897년 2월 20일까지 친러 세력에 의하여 고종과 세자가 지금의 서울특별시 정동(貞洞)에 위치한 러시아 공사관으로 옮겨서 거처한 사건.
일본 세력에 대한 친러 세력의 반발로 일어난 사건으로, 이로 말미암아 친일 내각이 붕괴되었으며 각종 경제적 이권이 러시아로 넘어갔다.

이런 상태에서 총리대신 김홍집과 농상공부대신 정병하는 압송 도중 군중의 손에 구타당해 숨지고, 탁지부대신 어윤중은 백성들에게 잡혀서 맞아죽었다.

사태가 이처럼 심각해지자, 이준은 법부대신 장박에게 달려가 상황을 설명하면서 일본 망명을 권했다. 그리고 장박, 유길준, 조희연 등과 함께 일본으로 망명하게 된다.

망명 도중 이준은 유길준과 박영효에게 법학 공부를 해야겠다는 의사를 밝혀 1896년 와세다 대학 법과에 입학한다.

유학 기간 중 이준은 일인들에게 글씨를 써 주며 그 사례금으로 학비와 생활비를 마련했다.

1898년 9월 고국에서 비보가 날아왔다. 이준의 생애에 가장 큰 영향을 미친 김병시 대감이 세상을 떠났다는 소식이었다.

이준은 비록 망명객의 신세였고, 학업 도중이었지만 즉각 귀국해야겠다는 결심을 한다.

고국을 떠난 지 2년 6개월 만에 돌아온 이준은 김병시 대감댁으로 직행하여 그의 영전에 마지막 인사를 고했다.

만민공동회의 중심 역할을 담당하다

당시 국내 정치는 고종이 러시아 공사관에 1년이 넘게 머무는 동안 친러파의 횡포가 심해지고, 외세에 이권을 내어주는 일이 비일비재했다.

독립협회는 이를 저지하고 민족자존을 지키고자 체제를 정비하고, 대중운동을 통해 한러은행의 폐쇄 및 고종황제로 하여금 개각을 단행토록 하는데 결정적인 영향을 미친다.

이준은 민영환, 박정양 등 개혁파 관료들이 진출하자, 민영환과 뜻을 함께하여 독립협회가 추진하는 관민공동회(관리와 백성의 공동토론회)에 적극 가담했다.

이준은 독립협회의 윤치호★ 회장이 대회장을 맡고, 이상재★ 부

★ 윤치호(尹致昊, 1864~1945)
서재필, 이상재 등과 독립협회를 조직했다.
1910년 대한기독교청년회연맹을 결성한 후 대성학교 교장으로 있다가 11년 105인 사건으로 10년형을 선고받았다.
일제강점기 말에 한때 변절, 일본제국의회의 칙선 귀족원의원을 지냈다.

회장이 사회를 맡아 진행하는 관민공동회의 총무장이 되어 대회를 주관했다.

　민초인 백성들이 가슴 가득 기대감을 안고 구름같이 운집한 가운데 각부 대신들이 이 자리에서 협의한 내용을 고종황제에게 아뢸 것이라 약속하여 환호성이 터져 나오는 가운데, 이준이 연설대에 올라 연설했다.

　"대황제라 존칭하고 대한제국이라 환칭하여 천하만국에 향하여 자주독립을 부르짖는 오늘 궁중이 과연 어떠하며 부중(府中)이 과연 그 어떠한가. 인순(因循)과 고식(姑息)이 고리를 맞물고 있지 아니한가. 철도는 어디로, 광산은 어디로, 산림은 어디로 갔나. 뇌물이 성행하니 이것도 충량한 관료라 할 수 있을까. 국세와 민정은 누란에 있어도 자기 자신만 잘 살 궁리만 하면 잘 살아질 것이냐?"고 연설하여 많은 사람들로부터 호응을 받았다.

　중추원★ 의장 한규설★은 "관리와 백성들이 협의하는 것은 500년

★ 이상재(李商在, 1850~1927)
　서재필과 독립협회를 조직, 부회장으로 만민공동회를 개최했다.
　개혁당 사건으로 복역했고, 헤이그 만국평화회의 특사 파견을 준비했다.
　소년연합척후대 초대 총재, 조선일보사 사장 등을 지냈다.

★ 중추원(中樞院)
　본래 중추원은 1894년(고종 31년) 갑오개혁 때 설치되어 다음해 3월 중추원관제급사무장정(中樞院官制及事務章程)에서 내각의 자문기관으로 기능이 규정되었다.
　그러나 한일합병 이후는 일제의 조선침략을 합리화하는 친일 매국노, 협력자 및 그 추종자들의 집합기관으로 변질되었다.

역사 이래 처음 있는 일이다. 의결한 6개 조목은 모두 법률안에 원래 정해진 사안들이다. 관리와 백성이 합심하여 범위를 넘지 말고 영원이 하나가 되기를 바란다"고 말했다.

관리와 백성들이 합의한 헌의 6조는 다음과 같다.

1. 외국인에게 기대하지 아니하고 관민이 동심협력하여 전제 왕권을 견고케 할 것.

2. 외국과의 이권에 대한 계약과 조약은 각 대신과 중추원 의장이 합동 날인하여 시행할 것.

3. 국가재정은 탁지부에서 모두 관리하고 예산 결산을 국민에게 공포할 것.

4. 중대범죄를 공판하되 피고의 인권을 존중할 것.

5. 칙임관을 임명할 때에는 황제가 정부에 그 뜻을 물어 임명할 것.

6. 사무장정(事務章程)을 실천할 것.

위의 정신에 따라 중추원에 의관 50명을 선출하자 백성들은 처음 있는 일이라고 기뻐했다.

★ 한규설(韓圭卨, 1848~1930)
조선 후기의 무신. 자는 순우(舜佑).
1905년 의정부 참정(參政)이 되어 내각을 조직하였으나 을사늑약에 반대하여 파면 당했다. 뒤에 중추원 고문 등을 역임하였고 국권강탈 후 일본이 준 남작 지위를 거절했다.

그러나 군주제를 폐지하고 공화정을 실시하려 한다는 수구파의 모략에 의해, 고종황제는 독립협회의 해산 명령과 함께 이 모임에 참석한 대신들을 모두 면직시킨 데 이어 독립협회 간부 17명을 구속시켰다.

이에 이준은 독립협회 회원들을 이끌고 경무청으로 달려가 석방을 요구했으며, 항의 농성에 들어갔다.

이준이 이끄는 군중은 독립협회 간부 석방, 공개 재판, 헌의 6조 실행, 친러 수구파 관료 퇴진 등의 요구를 했고, 많은 사람들의 동조와 참여 그리고 격려를 받게 되면서 점차 대중운동으로 확산되어 갔다.

이에 친러(親露) 수구파가 보부상을 동원하여 농성장을 습격했으며, 그로 인해 수많은 사람이 부상을 당하자 성난 군중들이 역습에 들어갔다.

이처럼 서울 장안이 혁명 전야와 같은 분위기에 휩싸이자, 고종황제와 친러 수구파 정부는 어쩔 수 없이 이준이 이끄는 만민공동회★의 요구 사항을 모두 수용하기에 이르렀다.

이때 요구한 사항은 다음과 같다.

★ 만민공동회(萬民共同會)
1898년 3월부터 독립협회 주최로 서울 종로 네거리에서 열린 민중대회이다. 시민, 소상인, 일부 지식인층이 참여하여 외세의 배격과 언론·집회의 자유를 주장하는 등으로 민족주의·민주주의적 성격의 운동을 제창했다.
초기에는 독립협회와 일정한 연계 아래 전개되었으나, 점차 그 영향에서 벗어났다.

- 황국협회★ 인물 8명 처벌
- 보부상의 혁파
- 개혁정부 수립

이를 계기로 황국협회 간부는 구속되었고, 독립협회 윤치호는 한성판윤, 부회장 이상재는 의정부 총무국장에 임명되었다.

그 후 독립협회에는 의연금이 쇄도했으며, 지방조직도 갖춰지기 시작했다.

그런가 하면 고종황제는 중지시켰던 중추원의 개원을 허락함과 아울러 중추원 의원의 3분의 1인 17명을 독립협회에서 추천할 수 있도록 했다. 독립협회는 더 이상 정부와의 마찰을 원치 않았기에 이를 수용했다.

그러나 중추원의 나머지 구성원이 수구파들로 채워지면서 의회의 기능이 사라지고 자문기관의 성격을 지닌 기관으로 역할이 축소되고 말았다.

중추원이 개원된 후 독립협회 출신인 최영덕의 제안으로 의정부에 추천할 인재를 무기명 투표로 뽑았는데, 이때 일본과 미국에 망명

★ 황국협회(皇國協會)
　1898년에 개화 세력을 탄압하기 위해 홍종우(洪鍾宇)·이기동(李基東)·박유진(朴有鎭)·고영근(高永根) 등의 수구 세력이 중심이 되어 황실 및 고위 관료들과 공동보조를 취하면서 보부상(褓負商)과 연합, 이들을 기반으로 하여 구성한 단체.
　독립협회를 견제했는데, 1899년에 없어졌다.

중인 박영효와 서재필★도 추천되었다.

박영효가 다시 정계에 발을 들여놓게 되었다는 소식이 전해지자, 고종황제와 수구파는 다시 독립협회를 탄압하기 시작했다. 그 일환으로 구속되었던 황국협회 사람들을 방면하고, 독립협회에는 해산 명령을 내렸다.

그러자 이에 힘을 얻은 황국협회 사람들이 독립협회를 습격했다. 이때 이준, 이상재, 이승만, 이동녕 등 10여 명은 미국 대사관 등 주한 외교공관으로 대피하여 무사했으나, 독립협회 사무실의 기물과 문서 등은 깡그리 부서지고 훼손당해 난장판이 되었다.

이를 묵과할 수 없다고 생각한 독립협회에서는 종로에 연설대를 만들어 이준을 중심으로 남궁억★, 윤효정 등이 황국협회 타도와 정부를 탄핵하는 연설을 했고, 이승만은 배재학당 동창생을 비롯한 시민들과 함께 황국협회를 습격하여 그곳을 지키던 장정(壯丁)과 유혈 충돌을 빚기도 했다.

이에 고종황제는 독립협회를 강제로라도 해산시키겠다고 마음먹었으며, 군대를 동원하기에 앞서 각국의 반응을 타진했다. 이때 러

★ 서재필(徐載弼, 1864~1951)
　김옥균, 홍영식(洪英植) 등과 갑신정변을 일으켰다. 〈독립신문〉을 발간하고 독립협회(獨立協會)를 결성했다. 1977년 건국훈장 대한민국장이 추서되었다.

★ 남궁억(南宮檍, 1863~1939)
　궁내부 별군직(別軍職), 칠곡부사(漆谷府使), 내부 토목국장(土木局長) 등을 역임하였고, 독립협회에서 활약했다.
　양양 군수(襄陽郡守), 대한협회장, 관동학회(關東學會) 회장 등을 지내고 배화학당 교사로 있으면서 교과서를 편찬하고 교회와 학교를 세웠다.

시아와 주한 일본 공사 가토는 군대 사용을 권했고, 그 밖의 다른 나라들은 아무 반응을 보이지 않았다.

러시아는 친러파가 많은 정부를 옹호하는 입장이었고, 일본은 앞으로 한국을 공략함에 있어 독립협회가 최대의 장애가 될 것이라는 판단 아래 계산적으로 입장 표명을 한 것이다.

고종황제는 독립협회의 해산 명령과 함께 군대와 보부상 그리고 친정부 시위대를 풀어 독립협회를 공격케 했으며, 독립협회 출신들을 모든 관직에서 축출했다. 그리고 독립협회 지도부 인사를 모두 구속시켰다.

개혁당 조직에 참여하다

명치유신(明治維新)을 이룬 일본은 1874년 대만을 세력권 아래 두었고, 1879년에는 오키나와를 병합한 후 대한제국을 둘러싸고 청나라와 대립하다가 드디어 1895년 청일전쟁에서까지 승리했다. 이를 계기로 중국으로부터 동양 패권을 넘겨받은 일본은 대한제국에 대한 병합에 박차를 가하면서, 1902년에는 영국과 동맹을 맺는 등 열강들과 어깨를 나란히 하며 세계 전략을 추진해 나갔다.

대한제국의 지배권을 놓고 이웃 나라들이 전쟁까지 하는 상황에서 변화와 수구를 둘러싼 갈등이 심화되던 대한제국은 외세의 지원을 받아서라도 자기 세력의 노선을 관철시키고자 하는 조직들이 나타나 극심한 대립으로 빠져들고 있었다.

이때 만민공동회라는 대중운동에 뛰어든 이준은 민영환, 이상재, 이상설, 이동휘★, 양기탁★ 등과 함께 개혁당을 조직했다.

★ 이동휘(李東輝, 1872~1935)
한말의 독립운동가로 1919년 대한민국임시정부에 참여하여 군무총장, 국무총

명문대가 출신도 아니고, 경성 출신도 아니며, 일찌감치 출세한 사람도 아닌 이준은 10년 전후의 후배들과 함께 헌신적으로 조직에 참여하면서 두각을 나타냈다.

강직하고 의협심 있는 성격, 세상을 보는 선각자적 지식과 판단력, 후배들에게 헌신하는 동지애, 탁월한 연설 능력 등 이준의 남다른 인품과 역량은 혼란한 시국 상황에서 만민공동회를 중심으로 진가를 발휘했다.

연륜이 쌓이면서 이준의 사회적 위치는 확고부동하게 상승되고 리더로서의 기량이 발휘되어, 40대 중반으로 들어섰을 때는 구국운동의 중심에 서게 되었다.

만민공동회를 주도하면서 개혁당을 만드는 주역이 된 이준은 독립협회와 만민공동회에서 같이 활동한 정순만, 이현석, 유종익 등과 함께 적십자사를 설립했다.

러일전쟁을 백인종과 황인종의 싸움으로 인식하던 당시의 분위기

리를 지냈다.
이때 공산당으로 전향. 이승만·안창호 등과 대립했다. 1995년 건국훈장 대통령장이 추서되었다.

★ 양기탁(梁起鐸, 1871~1938)
한말의 언론인·독립운동가. 1904년 영국인 베델(Bethell, 한국 이름은 배설(裵說))과 영자신문 〈코리아타임즈〉를 발간했다.
이듬해 국한문으로 〈대한매일신보〉를 창간하여 주필이 되어 항일사상을 고취했다.
1921년 미국 의회의원단이 내한하였을 때 독립진정서를 제출한 사건으로 투옥되었다.

에서, 이준은 특히 친러 수구파로 인해 나라가 발전하지 못할 뿐
아니라 종내는 러시아에 나라를 빼앗길 수 있다는 위기의식을 누구
보다도 강하게 갖고 있었다.

따라서 이준은 적십자사를 통해, 러일전쟁에 참전하고 있는 일본
의 부상병 치료를 위해 적십자사가 나서야 한다고 역설했다.

이러한 행동은 중립 노선을 견지하고 있던 정부의 정책과 배치되
었기 때문에, 이준은 1904년 3월 23일에 체포되어 한성감옥에 수감
되었다.

황지문권을 탈환하다

  1904년 2월 23일에 체결된 한일의정서를 근거로 하여, 일본은 한국의 황무지 개척 권한을 일본인에게 주고 그 경영을 일본 정부의 방침에 따르도록 하게 하는 일을 조심스럽게 추진했다.

  그 뒤 6월에는 일본 공사의 외교 공문을 통해 황무지 개척권을 일본인 나가모리(長森藤吉郞)에게 특허해 줄 것을 요구했으며, 동시에 계약서 초안을 대한제국 정부에 제출하여 승인하라고 강요했다.

  이들이 요구하는 내용은, 전국토의 3할이나 되는 황무지의 개간·정리·척식 등 일체의 경영권과 거기서 얻게 되는 모든 권리 — 즉 황지문권을 50년간 나가모리에게 양도하라는 것이었다.

  이에 대해 빗발치는 저항운동*이 도처에서 일어났는데, 이상설

★ 황무지개척권반대운동(荒蕪地開拓權反對運動)
  러일전쟁 직후 일제가 대한제국에 황무지개척권을 요구하자, 이에 대항하여 벌인 항일운동.
  일제는 러일전쟁 이후 우리나라를 식량의 공급지로 삼기 위해 황무지개척권을 줄 것을 요구했다. 우리나라 정부가 강압에 의해 전 국토의 30%에 해당하는

은 나가모리의 황무지 개척권 청구에 대해 반대하는 상소를 올렸다. 또한 〈황성신문〉 등의 언론도 논설과 기사를 통해 황무지 개척권과 관련한 일본의 행위를 규탄했다.

백성들도 보안회★라는 단체를 결성하여, 황무지 개척권과 관련된 요구가 철회될 때까지 집회를 계속할 것을 선언했다. 황무지 개척권은 국가의 존망이 달렸다고 할 정도로 중대한 문제였기 때문이다.

수감되었던 이준은 감옥에서 풀려나 몸을 추스르자, 정순만★과 함께 보안회에 가담했다. 그리고 이준은 총무를, 정순만은 간사를 맡아 반대 상소와 시위운동을 주도했다.

황무지를 아무 보상 없이 내주자, 전국적으로 상소·항의가 빗발쳤다. 이에 일제는 헌병과 경찰을 투입했고, 정부는 일제에게 철수를 요구하며, 토지도 외국인에게 대여하지 않는다고 공포했다.
그러나 결국 1908년 동양척식주식회사가 설립되면서 일제에게 황무지 개척권을 빼앗겼다.

★ 보안회(保安會)
1904년(고종 41년)에 원세성(元世性)을 중심으로 창립된 배일 단체.
활발한 운동을 전개했으나 친일 단체인 유신회의 방해로 없어졌다.

★ 정순만(鄭淳萬, 1873~1928)
일제 강점기 미국과 만주에서 활약한 독립운동가이다. 1902년 이후 미국과 만주에서 동포들의 독립사상 고취와 항일 민족교육에 힘썼다.
1907년에는 비밀결사인 신민회를 조직하여 해외 특사 파견을 돕기도 했다.
1896년 3월 이상재(李商在)·이승만(李承晩)·윤치호(尹致昊) 등과 함께 독립협회(獨立協會) 창립에 참여하였고, 만민공동회 일로 투옥당하기도 했다.
이상설과 함께 서전서숙을 운영하고, 이승만·박용만 등 재미 독립운동가와 함께 국제적 활동도 하는 등 광범위한 활동을 했다.

일본 공사는 일본 헌병과 경찰을 보안회 사무소에 출동시켜 해산을 강요하며 폭력을 사용했고, 황무지 약탈에 반대하는 활동에 대한 보도를 금지시키기 위해 신문을 검열했다.

　　이러한 상황에서도 이준은 조금도 굴하지 않고 황무지 불하 취소 운동을 전개해 나갔다.

　　1904년 8월 송병준, 윤시병 등이 보안회에 대응하는 유신회★(뒤에 일진회로 개칭)를 만들어 일제의 꼭두각시 노릇을 하기 시작했으며, 일본 헌병대는 일진회를 도와 보안회 회장인 이건석을 체포하는 등으로 보안회를 와해시켜 나갔다.

　　이준은 이상설, 이상재, 이동휘 등과 함께 보안회의 후속 단체인 대한협동회를 조직하여 민족운동을 이어나갔으며, 그 결과 일본 공사로부터 황지문권을 빼앗는 성과를 거두었다.

　　대한협동회를 앞장서서 이끌던 이준 등이 일본 헌병에 강제 체포되었지만, 고종의 특사로 풀려났다.

★ 유신회(維新會)
　　일본에 망명해 있던 송병준이 귀국하여, 친일파 고위 관료들과 독립협회 출신 친일파 인사들과 접촉하며 세력을 끌어 모아 1904년 8월 18일에 발족시킨 친일 단체다.
　　8월 22일에 일진회로 개명하여, 본격적으로 일본의 앞잡이가 되었다.

공진회를 조직해 친일 매국단체 일진회에 맞서다

이준은 보안회와 대한협동회를 통해 일제의 황무지 개척권 요구를 물리친 뒤, 1904년 12월 5일 진명회를 도왔다.

진명회는 황국협회를 등에 업고 독립협회를 없애는 데 협력한 보부상들이 자신들의 과오를 뉘우치고, 친일 단체 일진회★에 대항하기 위해 기존에 있던 상민회(商民會)를 개칭한 것이다.

한편 송병준★이 만든 일진회는 세력을 확대하기 위해 진보회를

★ 일진회(一進會)
1904년 8월 일제의 대한제국 강점을 도와준 친일적 정치 단체.
1905년에 일제가 을사늑약을 강요할 때 앞장섰고, 1909년에 통감 이토 히로부미에게 국권 강탈을 제안하는 등의 친일 활동을 하다가 1910년 국권 강탈 후에 해산했다.
송병준과 독립협회 출신 윤시병, 유학주 등이 주요 인물이다.

★ 송병준(宋秉畯, 1858~1925)
이용구 등과 일진회를 조직하였고, 농상공부대신·내부대신을 지내면서 조선과 일본의 합방을 주장했다. 정미칠적(丁未七賊) 중 한 사람으로, 오늘날 이완용과 함께 친일파·매국노의 수괴로 꼽히는 인물이다.

통합하여, 전국적으로 세력을 형성해 나가기 시작했다.

진보회는 원래 일본에 망명 중이던 손병희★ 선생의 지령을 받아 이용구 등이 동학의 잔여 세력을 규합하여 조직한 단체였으며, 설립 초기에는 부패한 정부를 탄핵하고 교육과 산업의 부흥을 주창했다. 그러나 이후 일제의 소탕령이 내리자, 송병준이 이용구를 회유하여 일진회에 통합시킨 것이다.

이준은 한성감옥에서 알게 된 진명회의 나유석과 의기투합하여 진명회를 공진회★라 개칭했다. 그리고 전국 규모의 조직으로 확대 개편하여 회장직을 맡았다.

이준을 정점으로 조직 체계를 갖춘 공진회는 아래와 같은 취지의 강령을 담아 고종황제에게 청원했다.

• 황실의 권위는 전범(典範)으로 규정된 것만을 존중할 것.

또한 일제 강점기에 제1호로 창씨개명을 하여 일본식 이름이 노다 헤이지(野田 平次郎)이고, 별명이 '노다(野田) 대감'이었다.

★ 손병희(孫秉熙, 1861~1922)
항일 독립운동가. 자는 응구(應九)·규동(奎東). 호는 의암(義菴).
1882년 천도교에 입교하여 1887년에 제3대 대도주(大道主)가 되었다.
3·1운동 때는 민족대표 33인의 한 사람이었다.

★ 공진회(共進會)
대한제국 때에, 보부상들로 조직된 혁신운동 단체.
1904년에 조직되었으며, 왕실의 권위와 국민의 권리·의무 등에 관해 건의하는 운동을 전개했다.

- 정부 명령은 법률과 규칙으로 규정된 것만 복종할 일.
- 인민의 의무와 권리는 고유 규범 안에서만 자유롭게 할 것.

이준은 이미 100여 년 전에 위와 같이 법치와 준법을 주창했으며, 재산권의 피해를 받은 백성들을 위해 법률 구제 사업을 실시했다.

또한 궁궐에 드나들거나 관직에 있는 무당, 점쟁이들을 백성에게 해를 끼치는 잡배로 규정하고 이들의 척결을 위해 노력했다.

이들의 감언이설과 횡포가 심해지는데도 당국에서 이들의 처리에 미온적이자, 이준은 공진회원들로 하여금 이들을 잡아오도록 하여 공진회 사무실에서 자복케 한 후 평리원 검사 김정목에게 보내 엄히 다스릴 것을 청했다.

일반인들이 스스로 경찰권을 행사해 현직 고관을 체포하여 평리원에 이송하고 검사를 소환해 질문한 경우는 유례를 찾아볼 수 없는 일이었다.

이에 정부는 이준 등을 체포하여 재판 없이 이준과 윤효정★에게 종신 징역, 나유석에게는 교수형을 선고했다. 이에 공진회는 재판

★ 윤효정(尹孝定, 1858~1939)
한말의 애국지사. 호는 운정(雲庭). 본명은 사성(士成).
1898년 독립협회 간부로 활동할 때 고종양위음모사건에 관련되어 일본으로 망명했다. 귀국 후에 이준·양한묵 등과 헌정연구회를 조직하여 의회를 중심으로 한 입헌정치 체제를 구현하고자 노력했으며, 이후 대한자강회를 조직하여 대한제국의 자강 독립을 목적으로 활동했다.
이후 고종 퇴위 반대 운동을 전개하는가 하면, 친일 매국단체인 일진회를 규탄 공격하고, 국채보상운동에도 참여했다.

없이 선고한 평리원 재판장 민병한을 고소했다.

이때 당시 법부대신이었던 권중현은 이준과 윤효정에게 '고위관리에게 추잡한 욕설을 한 사람은 먼 변방으로 보내 군역에 복무시킨다'는 형률과 '충군하는 사람은 태 100대에 3,000리 귀양에 준한다는 법조문에 따라 마땅히 태형 100대와 종신 징역에 처해야 하지만 사사로운 것이 아니기 때문에 이를 정

이준의 변호를 맡았던 홍재기 변호사

한국 제1호 변호사 홍재기는 법조인의 길을 걸어오면서 가장 보람으로 여긴 일이 있다고 했다.

1906년 이준(李儁)이 부당 구속을 당하자 홍재기는 이준의 변호인이 되었고, 당대의 지식인 11명과 함께 이준의 부당 구속사건 성토대회를 개최한 일을 말하는 것이다.

한편 홍재기 변호사의 아들인 홍종민(洪鍾敏) 변호사는 만국평화회의에 특사로 파견되었던 이준 열사의 '생사관(生死觀)'을 읽은 후 인생관을 뚜렷이 세우고 삶을 바르게 살아야 한다고 다짐하게 되었다고 하며, 참으로 정신이 번쩍 나는 글이 아닐 수 없었다고 극찬했다.

상 참작한다'며 태형 100대와 징역 10년에 처하고자 했다. 그리고 나유석에게는 태형 100대에 징역 15년에 처할 것을 고종황제에게 상주했다.

고종황제는 세 등급을 감해 모두 귀양을 보내라는 조처를 내려

이준과 윤효정은 유배 3년, 나유석은 5년을 받고 황해도의 철도(鐵島)로 보내졌다.

그 뒤 민영환, 이용익★ 등의 간청으로 이준 등은 특별 석방되었지만, 공진회는 더 이상 주목할 만한 활동을 하지 못하게 되었다.

★ 이용익(李容翊, 1854~1907)

궁중의 내장원경(內藏院卿)이 되어 황실 재정을 강화하기 위한 경제정책을 주도하였고, 왕실 위주의 근대화 정책을 추진한 중심인물이다. 개혁당을 조직하여 친일파와 맞섰다. 1904년에 고려대학교의 전신인 보성학원(普成學院)을 설립했고, 해외에서 구국운동을 펼쳤다.

국민교육운동을 실행하다

1905년 3월 이준은 유배에서 풀려나자 국민교육회 창립 멤버로서 공진회 활동을 함께한 김정식을 따라 서울 소재의 연동교회★에 나가게 되었으며, 이를 계기로 국민교육회에 참여했다.

국민교육회는 이원긍, 홍재기, 김정식 등 연동교회 신자들을 주축으로 설립되었다.

당시엔 정동교회★에 의법회, 상동교회★에 상동 청년회, 연동교

★ 연동교회(蓮洞敎會)

서울시 종로구 연지동에 위치한 대한예수교장로회(통합) 서울노회 소속 교회로 조선 말기인 1894년에 설립되었다. 미국 북장로교 소속 선교사인 새뮤얼 포먼 무어(S. F. Moore, 1860~1906, 한국명 모삼열) 목사가 1885년 10월 11일에 교인 몇 명과 함께 연지동의 조그만 초가집에서 예배를 시작한 것이 시초이다. 점차 신도가 증가하면서 이듬해에는 교육 기관인 연동소학교를 세워 여학생도 모집해 운영했다. 이 학교는 정신여자고등학교의 전신이 되었다.

★ 정동교회(貞洞敎會)

한국 최초의 감리교 교회인 정동제일교회(貞洞第一敎會)를 말한다. 덕수궁 옆인 서울 중구 정동 31번지에 있다.

1900년도의 상동교회 전경

회에 국민교육회가 소속되었다는 말이 있을 정도로 국민교육회는 기독교적 성격을 띤 단체였다.

이준은 기독교 정신에 국한하여 국민계몽을 내세우기보다는 국민 대다수를 포용할 수 있는 교육 문제에 더욱 관심을 두어야 한다는 점을 강조했다.

교회 중심의 국민교육회는 철저하게 정치성을 배제했는데, 이준이 국민교육회에 참여함으로써 정치적 색깔이 점차 가미되었다.

미국인 선교사 헨리 아펜젤러가 1885년 10월 11일에 정동에 있는 자신의 사택에서 한국인 신자들과 함께 예배를 드린 것이 시작이 되었다.
이후 감리교단의 대표 격으로 여러 분야에서 '한국 최초' 기록을 보유하면서 한국 사회에 많은 영향을 끼쳐왔다.

★ 상동교회(尙洞敎會)
초대 의료선교사인 W.B. 스크랜튼이 1889년 상동약국을 세워 의료선교를 하면서 복음전도를 위해 설립했다.
1905년 을사늑약 무효의 구국기도회를 열면서 전국에 알려지게 되었고, 이후 대한제국과 일제 강점기에 민족운동의 기수 역할을 했다.
공옥(工玉)학교를 설립하여 교육사업을 통해 민족계몽에 앞장섰으며, 1906년에 한국 최초의 민간 잡지인 〈가평잡지〉를 발행하기도 했다.
105인 사건으로 전덕기가 일제에 체포당하여 1914년 순직하자, 상동교회의 민족운동은 큰 시련을 겪기도 했다. 그러나 전덕기 목사의 정신을 이어받아 3·1운동을 주도하는 등 지속적인 민족운동과 선교를 전개했다. 그 후 1944년 일제에 의해 강제로 폐쇄되었다.

먼저 1905년 7월에 주영 서리 공사 이한응*이 자결하자, 이를 애도하는 조문을 '국민교육회 회원 일동' 명의로 발표했다.

1903년부터 주영 공사관 참사관으로 근무하던 이한응은 제1차 한일협약과 제2차 영일동맹 후 한국의 위상이 추락되고 외국인으로부터 받는 모욕이 점점 커지자, 이를 통탄해 마지않은 나머지 가족에게 유서를 남긴 후 자결했다.

이런 시국 상황에서, 이준은 일본이 한국을 보호국으로 만들려는 획책을 막는 일이 무엇보다도 시급하다고 판단했다.

이준은 이러한 난국을 극복하는 데 기여하는 방향으로 교육운동이 전개되어야 한다는 신념을 갖고 국민교육회를 이끌면서 이를 실현하기 위해 노력했다.

★ 이한응(李漢應, 1874~1905)
조선 후기의 외교관·순절 의사.
자는 경천(敬天). 호는 국은(菊隱).
1901년에 영국, 벨기에 양국 주차 공사관(駐箚公使館) 3등 참사관(參事官)이 되었고, 1904년에 주영공사관 서리 공사(署理公使)가 되었으나, 제1차 한일협약이 체결되어 한국 정부의 국제적 지위가 전락하자, 이를 개탄하여 자결했다.

헌정연구회를 조직하다

이준은 1905년 5월 24일 윤효정, 양한묵 등과 함께 '헌정연구회'를 창립했다.

국민교육회를 통해서는 국민 계몽운동을 전개하고, 헌정연구회를 통해서는 법치주의를 확립해 나가는 방책을 강구하자는 취지에서였다.

이들은 근대적 국가의 특성을 헌정(憲政)이라고 보았기에, 근대 국가의 성격과 운영에 관한 정치 교양을 쌓는 것은 물론이고 앞으로 쟁취할 근대적 독립 국가의 헌정에 관해 연구하는 것을 주목적으로 삼았다.

설치 강령에서는 왕실이나 정부라도 헌법과 법률을 준수해야 되며, 국민은 법률에 규정된 권리를 자유로이 누려야 한다고 주장했다. 아울러 의회를 중심으로 하는 입헌군주제의 수립을 목적으로 활동했다.

이준은 한국과 일본에서 근대 법학을 공부하고 서구의 정치학이나 국가학에 관해 해박한 지식을 지니고 있었기 때문에 헌정연구회의 중심인물이 되었다.

헌정연구회는 '헌정요의'를 통해 국가의 본의, 국가와 황실의 분별, 국가와 정부의 관계, 군주의 주권, 국민의 의무, 국민의 권리, 독립국의 자주민 등 근대 법치국가의 틀을 잡아가는 시도를 최초로 한 조직이었다. 또한 일본의 전횡을 막고, 친일 세력 일진회 활동에 맞서서 국권을 수호하는 방향으로 움직인 애국적 지식 세력이었다.

당시에 일본은 러일전쟁의 전세가 유리하게 돌아가자 점차 조선에 대한 침략 야욕을 강화했다.

1905년 을사늑약★이 체결되고, 1906년 초에 통감부가 설치되면서 한국인의 정치활동이 금지되자 헌정연구회의 활동도 중지될 수밖에 없었다.

그리하여 그 운동의 방향을 교육과 산업을 진흥시키기 위한 사회문화운동으로 전개하기 위해서 조직을 발전적으로 확장하여 1906년에 대한자강회(大韓自強會)로 개편했다.

★ 을사늑약(乙巳勒約)
얼마 전까지 교과서에서는 '1905년 을사보호조약(乙巳保護條約)이 체결되어 일본에게 외교권을 잃었다'고 가르쳤다. 그러나 원래 '조약'이란 국가간의 권리와 의무가 상호 협의에 따라 법적 구속을 받도록 규정하는 행위 또는 그러한 조문, 협약, 선언, 각서, 의정서 따위를 말한다.
이러한 기준으로 볼 때 1905년의 사건은 조약으로서의 기본적인 조건이 결여되어 있고, 특히 국가간의 합의가 아니라 일본의 강압에 따라 억지로 체결되었기에 '을사늑약'이라 하는 것이 올바른 표현이다.
을사늑약은 원천적으로 무효이며, 이는 1965년 한·일 기본조약에서 한·일 양국이 다시 한번 확인했던 사실이기도 하다.

나라를 구하려고 몸부림치다

러일전쟁을 승리로 마감한 일본은 포츠머스 조약에 의해 한국 보호권을 인정받아, 한국에 대한 실질적 지배권을 구체화시켜 나갔다. 뿐만 아니라 러시아로부터 랴오뚱 반도와 만주 철도를 빼앗아 중국 대륙 정복을 위한 확고한 발판을 마련했다.

이로써 일본은 동북아 지역에서 그 지위를 인정받고 강국으로 부상했다.

이러한 때에 미국 대통령 루스벨트의 딸인 엘리스와 상원의원 뉴랜즈 부부, 해군대장 특레인 부부 등이 한국을 방문하게 되자, 이준과 민영환★은 한미공수동맹을 제안했다.

★ 민영환(閔泳煥, 1861~1905)
본관은 여흥. 자는 문약(文若), 호는 계정(桂庭).
민씨 정권의 세도 속에서 관직에 진출했고, 두 차례의 해외여행으로 견문을 넓혀 왕에게 개혁정책을 권하기도 했다.
1905년 을사늑약으로 나라의 운명이 기울자 조약의 폐기를 상소했다. 그러나 뜻을 이루지 못하자 국민과 각국 공사에게 고하는 유서를 남기고 자결했다.

이준은 포츠머스 조약 이후의 일본의 한국 정책을 살펴보기 위해 일본으로 건너가 박영효 등을 만나봐야 한다고 생각하고 민영환과 의논한 결과 의견의 일치를 보았다.

이준은 일본에 가서 박영효, 양한묵, 이기, 나인영(나철) 등을 만나 일본의 정치 상황에 대해 전해 들었으며, 망명 시절에 사귄 일본인을 통해 '일본이 한국을 보호국으로 두는 것을 강대국들로부터 양해 받았다'는 얘기를 듣고 충격에 빠졌다.

급히 귀국한 이준은 이와 같은 사실을 민영환에게 보고하고, 대책을 논의했다.

러일전쟁 후 일본의 기세가 왕성해짐에 따라 친일 단체 일진회는 각 단체에 '한국은 일본의 보호국이 되어야 한다'는 선언서를 돌리는 등으로 매국 행위에 앞장섰다.

민영환은 상해로 가서, 일제가 벌인 만행을 전 세계에 알려 국제 여론을 환기시킴으로써 일본의 행동을 견제하려 했다.

그 일을 위해 이준은 급히 상해로 건너갔고, 민영환은 주불 공사로 있는 자신의 동생 민영찬으로 하여금 상해로 건너가 이준을 돕도록 했다.

한편 프랑스에는 고종황제의 측근인 이용익이 머물고 있었는데, 그는 상해로 가다가 폭풍을 만나 산동성 연태항에 이르게 되었다. 이 일을 일본 영사가 서울에 있는 일본 공사에게 보고함으로써, 그가 고종황제의 지시에 의해 상해로 간 사실이 세상에 알려지게 되었다. 고종황제는 모의가 탄로 날 것을 우려하여 이용익을 면직시켰고, 이용익은 방향을 바꿔 프랑스로 건너갔던 것이다.

1918년 1월 23일 오후 2시경 영친왕의 귀국을 기념하여 덕수궁 석조전 앞에서 촬영된 사진으로, 이왕식(李王職) 관리들과 중추원 인사 그리고 총독부 관료들, 일본 군인과 경찰 고위 관계자들이 참가하여 총 3장의 기념사진을 찍었다. 당시 조선을 지배하던 인물의 면면을 보여 준다.

또한 상해에는 고종황제가 루스벨트에게 보낼 친서를 지닌, 미국
의 선교사이면서 외국어 교사로 일했던 헐버트★가 머물면서 엘리스

★ 헐버트(Hulbert, Homer Bezaleel, 1863~1949)
미국의 선교사. 그는 1886년(고종 23년) 대한제국의 초청으로 왕립 영어학교
인 육영공원의 외국어 교사로 한국 땅을 밟은 뒤, 교육 분야 총책임자 및 외교
자문관으로 고종황제를 보좌했다.
1905년 을사늑약 후 한국의 주권 회복 운동에 적극 앞장선 그는 고종의 밀서를
휴대하고 미국으로 가 국무장관과 대통령을 면담하려 했으나 실패했다.
이후 1906년 한국으로 돌아와 독립운동에 앞장서다 1910년 일제에 의해 강제
추방됐다. 그는 40여 년 만인 1949년 7월 우리 정부의 초청으로 8·15 광복절
행사에 참석하기 위해 내한했다가, 일주일 만에 86세를 일기로 서거했다.
정부는 그의 공로를 인정해 이듬해인 1950년 외국인으로서는 처음으로 건국훈
장 독립장을 추서했다. 저서에 〈사민필지(士民必知)〉, 〈한국사〉 등이 있다.

를 기다리고 있었다.

이준은 상해에 도착한 뒤 주불 공사 민영찬과 헐버트를 만나 대책을 논의했다.

이들은 일본의 침략 야욕을 서구 열강에 알려 그들로부터 지원을 받는 것이 급한 일이라는 데 의견을 같이하고, 이준이 작성한 문서를 헐버트가 번역하여 각국에 타전했다.

그리고 이준은 기독교청년회와 국민교육회로 하여금 이를 규탄하는 시위운동을 전개하도록 했다.

한편 헐버트는 고종황제의 친서를 들고 본국으로 돌아가 백악관에 전하려 했다. 그러나 외교 문서는 국무성 소관이라는 이유로 접수를 거절당했다.

어쩔 수 없이 헐버트는 국무성으로 갔으나 국무성 관계자가 시간이 없다는 이유로 만나주지 않다가 이틀이 지나서야 문서를 접수했다. 그러나 그때는 이미 일본의 협박과 강제에 의해 을사늑약이 체결된 뒤였다.

결국 나라를 빼앗기다

이준이 상해에서 '한국이 일본으로부터 압박을 받고 있다'는 내용의 전문을 세계 각국에 발송하고 있을 무렵, 뒤늦게 고종황제가 미국에 특사를 파견했다는 사실을 알게 된 일본은 한국을 보호국으로 만들기 위한 작업을 서둘렀다.

1905년 11월 9일 가쓰라 일본 수상은 이토 히로부미를 한국에 급파하여 외교권을 빼앗기 위한 절차를 밟아나갔다.

서울에 도착한 이토 히로부미는 고종황제를 배알하고 일본 왕의 친서를 전했는데, 그 내용은 다음과 같다.

'짐이 동양 평화를 유지하기 위해 대사를 특파하오니, 대사의 지휘에 따라 조처하소서.'

11월 15일에는 고종을 재차 배알하여 '한일협약안'을 내밀었다. 하지만 조정의 반대에 부딪혔다.

11월 17일에는 일본 공사가 한국 정부의 각부 대신들을 일본 공사관에 불러 한일협약의 승인을 꾀했다. 그러나 오후 3시가 되도록 결론을 얻지 못하자, 고종황제가 머물고 있는 덕수궁 중명전으로 고종을 찾아가 어전회의를 열 것을 강요했다.

무장한 일본 군인들이 중명전을 에워싼 가운데 고종황제가 불참한 채 어전회의가 열렸다. 하지만 의견일치를 보지 못하자 일본 공사는 이토 히로부미를 불렀다. 그리하여 일본군 사령관 하세가와를 대동하고 헌병의 호위를 받으며 나타난 이토 히로부미가 회의를 주재해 나갔다.

이토는 이날 회의에 참석한 참정대신 한규설, 탁지부대신 민영기, 법부대신 이하영, 학부대신 이완용, 군부대신 이근택, 내부대신 이지용, 외부대신 박제순, 농상공부대신 권중현 등에게 일일이 조약 체결에 관한 찬반 의사를 물었다.

이때 참정대신 한규설과 탁지부대신 민영기는 조약 체결에 적극 반대했다. 그리고 이하영은 처음에는 반대했으나, 나중에 찬의를 표했다. 하지만 다른 대신들은 이토의 강압과 위협에 견디지 못하고 체결이 불가피하다고 생각하여 약간의 수정을 조건으로 찬성하고 말았다.

1905년 11월 18일 새벽 2시, 박제순·이지용·이근택·이완용·권중현 등은 이토가 지켜보는 가운데 조약의 일부분을 수정한 뒤 조약문에 서명했다. 이때 조약에 서명한 다섯 명을 이른바 '을사오적(乙巳五賊)'이라 한다.

을사늑약은 이처럼 어이없게도 강압과 위협과 날조로 이뤄졌으며, 이로 인해 한국은 일본에 의해 외교권을 박탈당함으로써 주권을 상실하게 되었다.

황성신문사 사장 장지연*은 〈황성신문〉에 '시일야방성대곡(是日也放聲大哭)'이라는 사설을 발표하여, 일본의 침략성을 규탄하고 조약문에 조인한 매국 대신들을 통렬하게 비난하면서 망국의 통한을 절규했다. 또한 유생들의 상소가 이어졌으며, 참판을 지낸 홍만식*을 시작으로 수많은 우국지사들의 자결 순국이 이어졌다.

★ 장지연(張志淵, 1864~1921)
조선 고종 때의 언론인으로, 호는 위암(韋庵)이다.
〈황성신문〉 사장을 지냈으며, 을사늑약이 체결되자 반일 사설 '시일야방성대곡(是日也放聲大哭)'으로 일본을 통박했다.
만민공동회·대한자강회와 같은 조직을 통해 활동했다.
저서에 〈유교연원(儒敎淵源)〉, 〈대한강역고〉 등이 있다.

★ 홍만식(洪萬植, 1842~1905)
고종 3년 문과에 급제, 검열·수찬·집의 등을 거쳐 동부승지를 지내고, 여주목사(驪州牧使)가 되었다. 1884년 이조참판에 올랐다가 생부 순목(淳穆)의 삭직으로 사직했고, 동생 영식(英植)이 김옥균(金玉均) 등과 갑신정변을 일으켰다가 실패하자 투옥, 이듬해 석방되었다. 후에 춘천, 해주관찰사를 사직하고 의정부 찬정(贊政)을 다시 사퇴하였으며, 을사늑약이 체결되자 국운을 비관하여 음독 자결했다. 참정대신(參政大臣)에 추증되고, 1962년 건국훈장 독립장이 추서되었다.

민영환이 자결하다

  시종무관장 민영환은 조약이 강제로 체결되었다는 소식을 듣고는
원임 의정대신 조병세*, 특진관 이근명 등과 함께 대궐로 가서 5적
의 처단과 조약의 폐기를 강력 청원했다.

  특히 조병세는 황제의 재가와 참정대신의 인준이 없는 조약은
무효라면서, 조약 체결의 책임자인 박제순과 이에 서명한 이지용
등을 모두 처단하여 국법을 바로잡을 것을 주장했다.

  그럼에도 아무 소용이 없음을 느낀 민영환은 최후의 수단으로
자결을 결심했고, 11월 30일 전동 이완식의 집에서 고종과 2천만
동포에게 보내는 유서를 남기고 할복 자결을 결행했다.

  민영환의 순국 소식은 곧 전국 각지의 국민에게 전해졌으며, 장안
의 시민들이 삽시간에 민영환의 집으로 몰려들어 통곡하면서 울부

★ 조병세(趙秉世, 1827~1905)
  조선 고종 때의 문신이자 순국열사. 자는 치현(稺顯). 호는 산재(山齋).
  1889년(고종 26년)에 우의정이 되었고, 갑오개혁 이후 은거하였다가 을사늑약
  이 체결되자 조약의 무효를 상소했다. 그러나 뜻을 이루지 못하자 자결했다.

짖었다.

이때 이상설은 종로로 뛰어나와 시민들을 모아놓고 이렇게 연설했다.

"민영환이 죽은 오늘이 바로 전 국민이 죽은 날이다. 우리가 슬퍼하는 것은 민영환 한 사람의 죽음 때문이 아니라 전 국민의 죽음 때문이다."

연설을 마친 이상설은 땅에 있는 돌에다 머리를 찧고 쓰러졌는데, 머리가 깨지고 유혈이 낭자한 채 기절하고 말았다.

군중들에 의해 들것으로 집에 실려 간 이상설은 한 달이 지나서야 겨우 건강을 회복할 수 있었다.

민영환이 국민에게 남긴 유서

"결고아(訣告我) 대한제국이천만동포(大韓帝國二千萬同胞) 오호(嗚呼), 국치민욕(國恥民辱), 내지어차(乃至於此), 아인민(我人民), 행장진멸 (行將殄滅) 생존경쟁지중의(生存競爭之中矣), 부(夫), 요생자(要生者), 필사(必死), 기사자득생(期死者得生), 제공기불양지(諸公其不諒只), 영환(泳煥), 도이일사(徒以一死), 앙보(仰報), 황은(皇恩), 이사아이천만동포형제(以謝我二千萬同胞兄弟), 영환(泳煥), 사이불사(死而不死), 기조제군어구천지하(期助諸君於九泉之下), 행(幸) 아동포형제(我同胞兄弟), 배가분려(倍加奮勵), 견내지기(堅乃志氣), 면기학문결심육력(勉其學問結心戮力), 부아자유독립즉(復我自由獨立則), 사자(死者), 당희소어명명지중의(當喜笑於冥冥之中矣), 오호

(嗚呼), 물소실망(勿少失望)."

"이천만 동포에게 드림

오호라, 나라와 민족의 치욕이 이 지경에까지 이르렀구나.

생존경쟁이 심한 이 세상에서 우리 민족이 장차 어찌 될 것인가.

무릇 살기를 원하는 사람은 반드시 죽고

죽기를 기약하는 사람은 살아나갈 수 있으니,

이는 여러분들이 잘 알 것이다.

나 영환은 한 번 죽음으로써 황은(皇恩)을 갚고

우리 2천만 동포 형제들에게 사(謝)하려 한다.

영환은 이제 죽어도 혼은 죽지 아니하여

구천에서 여러분을 돕고자 한다.

바라건대 우리 동포 형제여,

천만 배나 분려(奮勵)를 더하여 지기를 굳게 갖고 학문에 힘쓰며,

마음을 합하고 힘을 아울러 우리의 자유 독립을 회복할지어다.

그러면 나는 지하에서 기꺼이 웃으련다.

오호라, 조금도 실망하지 말지어다.

우리 대한제국 2천만 동포에게 마지막으로 고하노라."

— 〈대한매일신보〉 (1905년 12월 1일)

민영환의 뒤를 이어 조병세도 두 차례에 걸쳐 상소한 뒤 국민과 각국 공사에게 보내는 유서를 남기고 음독 자결했다.

그 뒤 전 참판 이명재, 학부주사 이상철, 이설, 전 참판 송병선, 진위대 상등병 김봉학 등의 자결 항쟁이 잇따랐다.

나인영, 오기호 등은 을사오적의 암살을 기도했으나 미수에 그쳤고, 일제와의 무력 항쟁을 통해 주권을 되찾으려는 의병운동이 전국 각지에서 일어났다.

후에 평리원 검사 이준은 고종황제로부터 은사 대상자를 선정하는 임무를 부여받자, 을사오적의 암살을 기도하다가 감옥소에 들어간 나인영, 오기호 등을 특사 명단 첫머리에 올렸다.

그런데 이것을 법부에서 삭제하자, 이준은 이들을 고소했다. 또한 이로 인해 면관 당하자 법부대신 이하영을 고소하는 투쟁을 벌였다.

상동교회 청년회장으로 활동하다

한편 을사늑약 반대를 위한 국제적 활
동을 전개하기 위해 상해에 건너갔던 이
준은 민영환의 자결 소식을 듣고, 나라 잃
은 슬픔과 믿고 의지하던 동지의 죽음에
통곡하면서 서울로 돌아왔다.

을사늑약 후 전국 교회에서는 구국기
도회가 열렸다.

상동교회 전덕기 목사

상동교회의 전덕기★ 목사가 전국 감리교회 엡윗 청년회 연합회를
소집하자, 각 지역 엡윗 회원들이 서울 상동교회로 모여들었다.

★ 전덕기(全德基, 1875~1914)
　한말 독립운동가. 서울 상동교회 목사로 상동 청년회를 조직하여 민족운동을
　지도했다. 국민교육회를 창설하고, 연동교회 신자인 이준과는 소속 교회를 초
　월하여 교분을 쌓고 동지가 된다.
　또한 안창호를 중심으로 양기탁 등과 신민회를 조직, 그 중앙 위원이 되어 배일
　운동을 전국적으로 전개했다.

이준은 연동교회의 신자였지만, 1904년 투옥되었을 때 자주 면회를 오던 전덕기와 친밀한 관계가 되어 준회원 자격을 얻어 상동 청년회에 관여하게 되었다.

상동교회는 다른 교회의 신자에게도 준회원 자격을 부여하여 상동 청년회에 참여할 수 있도록 했다.

민영환, 이상설, 이회영 등은 상동교회의 후원자로서 수시로 상동교회에 모여 구국의 뜻을 모아 나갔다.

이준은 상동교회 엡윗회 대표로 참석했으며, 김구, 이동녕, 조성환 등이 참여하여 활동함으로써 상동교회는 구국운동의 중심지로 발전해 나갔다.

다섯 명을 한 반으로 나눠 이에 연명하여 상소를 하자는 전덕기 목사의 제안에 따라, 이준은 조약 폐기에 대한 상소문과 '오적 격토문'을 직접 썼다. 그리고 최재학, 신상언, 이시영, 전석준 등이 연명으로 서명한 다음 대한문 앞에서 상소운동을 시작했다.

이때 무장한 일본 헌병대가 몰려오자, 이준은 가두연설로 맞서면서 절규했다.

"우리가 살아남을 수 있는 유일한 길은 주권을 죽음으로 지키는 일뿐이다."

이준은 시민들과 함께 일본 헌병을 상대로 투석전을 벌이며 격렬하게 시위운동을 전개했다.

일제는 이준을 구속하는 한편, 상동교회 주도 아래 펼쳐지는 항일운동의 싹을 자르기 위해 선교사와 교인들을 감시했다. 그리고 끝내 엡윗 청년회를 해산시켰다.

교육운동과 법치주의 운동의 중심이 되다

국민교육회 회장을 맡다

상동교회 청년회가 해산 당한 후, 이준은 국민교육회 회장으로 선출되어 국민 계몽에 적극 나섰다.

처음에는 국민교육회가 기독교인 중심으로 활동했지만, 후에는 유정수, 현채, 이갑, 민병두, 유근 등 비기독교 회원들도 급증했다.

이준은 국민교육회의 모태인 보광학교 교장을 겸임하면서, 노동 청년과 상공 청년의 계몽에 심혈을 기울였다.

이준은 국민교육회 역점 사업으로 교과서 편찬을 추진했다.

그리하여 〈신찬소물리학〉, 〈대동역사학〉, 〈초등소학〉, 〈초등지리교과서〉, 〈신찬소박물학〉 등 국한문 혼용체로 된 교과서를 간행했다.

이준은 '교육은 국방'이라고 강조하면서 '조국의 완전 독립을 위해 남의 나라 청년보다 십 배의 정열을 내서 부지런히 공부할 것'을 당부했다.

또한 '3천리에 3천 개 학교 설립'을 주창하기도 했다.

이준의 애국 행위엔 거침이 없었다. 정부 관료들이 참석한 자리에서 정부의 교육정책에 대해 강도 높은 비판을 하는가 하면, 을사늑약에 반대해 자결한 '7충신' 추도회를 개최하기도 했다.

한북흥학회를 발기하다

국민교육회 회장직을 수행하던 이준은 독립협회 이후 보안회, 국민교육회, 상동 청년회 등에서 같이 활동한 함경도 단천 출신인 이동휘와 이용익의 아들 이종호 그리고 이용익과 관련을 맺던 오상규, 유진호 등과 뜻을 같이하여, 함경도 경약소를 사무소로 정하고 '한북흥학회'를 발기했다.

이 단체는 교육운동을 표방하는 비정치적 단체로 내세웠지만, 실은 민권의 신장을 목표로 민지 개발을 통한 실력의 양성과 단합을 당면 과제로 삼았다.

그리하여 구국운동, 계몽 강연, 토론 활동, 청년운동 등을 전개했으며, 재정은 프랑스에 있던 이용익의 손자가 주로 담당했다.

이와 같은 교육 구국운동으로 함경도에 다수의 사립학교가 설립되었고, 구국을 위해 투쟁하는 국권 회복 운동가들이 많이 배출되었다.

계몽 강연, 토론 활동을 통해 일반 민중을 계몽하고 민지(民志)를 개발하여 애국심을 고취시키는 데 심혈을 기울이던 한북흥학회는, 그 후 평안도와 황해도 중심의 서우학회와 통합하여 '서북흥학회'로 개편했다.

서북흥학회의 이갑, 안창호, 이종호 등과 교육사업에 총력을 기울인 이준은 서북흥학회를 모태로 지금의 건국대학교 전신인 오성학교와 광신중상업고등학교 설립을 주도했다.

법안연구회 회장을 맡다

이준은 '법안연구회' 회장에 취임하여 법안과 법 운영 등에 관해 연구했다.

법안연구회는 이준을 비롯한 여러 인사들이 모여, 법정과 법령의 안건이 민족과 국가를 위해 제대로 운영되는 것을 도모하는 조직이었다.

이준은 법안연구회 회장직을 맡아 법안의 연구 비평이나 장래에 응시할 법안을 깊이 있게 토의하는 등으로 짧은 기간에 많은 활동을 전개했다.

이어서 법안연구회를 확대시켜 1905년 5월에 홍재기, 양한묵, 윤효정 등과 함께 '헌정연구회'를 조직했고, 회장에 취임하여 헌법을 속히 실행하여 인권과 자유가 보장될 수 있도록 노력했다.

당시 일본은 1904년에 발생한 러일전쟁에서 전세가 점점 유리해지자, 한일의정서·한일협정서 등을 강요하는 등 점차 조선에 대한 침략 야욕을 강화했다. 뿐만 아니라 일진회 등의 친일 매국 단체에 대응하여 국권 유지의 방책을 모색하는 정치 단체의 필요성이 그 어느 때보다 절실했다.

이러한 상황에서 민의 정치의식과 민족의 독립정신을 고취할 목적으로 합법적 투쟁 단체인 헌정연구회를 발족한 것이다.

여기에는 심의성이 사무장으로, 윤효정, 홍재기, 이기, 이윤종,

양한묵, 윤병 등이 평의원으로 참여했고, 연동교회의 국민교육회 멤버인 김정식, 이원긍, 서병철, 유진형, 서병길 등도 참여했다.

    그러나 1905년 을사늑약이 체결되고, 통감부(統監府)가 설치되면서 대중적 정치집회가 금지되자 합법적인 정치운동을 할 수 없게 되었다.

    따라서 방향을 바꾸어 산업을 진흥시키고 교육을 보급시키는 사회문화운동을 전개했으며, 그 후신으로 1906년 윤효정·장지연(張志淵)·나수연(羅壽淵) 등에 의해 대한자강회(大韓自强會)★로 개편되었다.

★ 대한자강회(大韓自强會)
 이준이 결성했다가 1905년에 해산된 헌정연구회를 계승하여 1906년에 장지연, 윤효정 등이 중심이 되어 학술문화 단체를 표방하며 한성부에서 조직했다. 회장으로는 윤치호가 추대되었다.
 대한자강회는 창립 취지서에서 '한국은 자강지술을 강구하지 않아 인민은 우매하고 나라는 쇠퇴하여 마침내 이국(異國)의 보호를 받게 되었다'라고 분석하고, '그러나 만일 이제라도 우리가 분발하여 자강에 힘쓰고 단체를 만들어 힘을 합한다면 국권의 회복도 가능하고 부강한 앞날을 바라볼 수 있을 것'이라고 주장했다.
 대한자강회는 일본인 고문을 추대하고 온건한 실력양성론을 펴는 등 개량적인 성격도 보였으나, 대한제국 고종의 강제 퇴위를 반대했다가 통감부에 의해 1907년 8월 21일에 강제로 해산 당했다.
 같은 해 11월에 창립된 남궁억의 대한협회가 대한자강회의 이념을 일정 부분 계승했다.

국채보상운동에 참여하다

이준은 평리원 검사를 그만둔 후 대한
자강회의 평의원으로 활동하면서 국채보
상운동에도 참여했다.

국채보상운동은 나라의 빚 때문에 국권
을 상실할 수 있다는 우려에서 비롯된 것
으로, 국민이 자발적으로 참여한 국가채
무 보상운동이다.

당시 일본은 한국의 부채량을 늘려 국
가 재정을 좌지우지하고, 결국에는 한국
을 식민지로 만들려는 전략을 수행하고
있었다.

대구시 중구 동인동에 위치한 국채보상
운동 기념공원 안에 있는 기념비

이러한 현실에 대응하기 위해, 1907년 2월 중순 대구의 광문사★

★ 광문사
  광문사는 외국의 선진 학문을 소개하고 실학 서적을 번역 편찬하여 근대사상을

사장 김광제★와 부사장 서상돈★ 등은 금연을 통해 국채를 갚아나가
자는 국채보상운동을 제창했다.

　김광제와 서상돈은 1907년 2월 21일 〈대한매일신보〉를 통해 다
음과 같이 발기 취지를 밝혔다.

전파하고, 자주자강의식을 고취하는 계몽운동을 펼쳤다. 문화사업을 통한 광문
사의 애국계몽운동의 중심에는 사장인 김광제와 부사장인 서상돈이 자리하고
있었다. 그러던 중, 외세의 간섭으로 인한 국망의 위기가 과다한 국가의 빚,
즉 국채로 인한 것으로 인식하고 국채보상운동의 뜻을 갖게 되었다.

★ 김광제(金光濟, 1866~1920)
충남 보령에서 태어나 한학을 수학한 뒤 관직으로 나아가 훈련원 첨정, 호남시
찰사, 동래경무관 등을 역임했다.
특히 동래경무관으로 재직 중, 1905년 일제가 강제로 을사늑약을 체결하여
외교권을 박탈하자 이에 크게 저항했다. 관직을 사직하면서 친일파 탄핵과 내
정의 부정부패 일소를 주장하는 상소를 올렸던 것이다.
이로 인해 전남 고군산도로 유배되었지만 뜻을 굽히지 않았고, 1906년 대구로
옮겨 서상돈과 함께 광문사를 설립하여 사장에 취임했다.
그 후 대한자강회·대한협회 등 정치단체에 참여하고, 교남학회 등 교육단체를
세워 국민계몽을 통한 실력 양성에 힘썼다.
경술국치 이후에도 만주에 일신학교를 세워 민족교육을 실시했고, 1920년
제2의 3·1운동을 추진하여 꺾이지 않는 항일의지를 분출했다. 나아가 조선노
동대회라는 노동운동 단체를 조직하여 민중계몽과 민족의식 고취에 노력했다.

★ 서상돈(徐相敦, 1850~1913)
조선 말기의 기업인, 공무원이다. 대구에서 지물(紙物) 행상과 포목상으로 성공
한 인물로, 정부의 검세관(檢稅官)이 되어 정부의 조세곡을 관리하기도 했다.
1907년에 정부가 일본에 빚을 많이 져 국권을 상실한다고 생각하여, 대구
광문사 사장인 김광제(金光濟)와 함께 대구에서 금연으로 나라의 빚을 갚자는
국채보상운동을 벌였다.

국채보상운동 취지서

지금 우리들은 정신을 새로이 하고 충의를 떨칠 때이니, 국채 1천 3백만 원은 우리나라의 존망에 직결된 것입니다. 이것을 갚으면 나라가 보존되고 갚지 못하면 나라가 망함은 필연적인 사실이나, 지금 국고에서는 도저히 갚을 능력이 없으며 만일 나라가 못 갚는다면 그때는 이미 3천리 강토는 내 나라 내 민족의 소유가 못 될 것입니다.

국채보상운동을 주도한 대구의 광문사 사장 김광제(위)와 부사장 서상돈

국토가 한 번 없어진다면 다시는 찾을 길이 없을 뿐만 아니라, 어찌 베트남 등의 나라와 같이 되지 않을 수 있겠습니까? 일반 인민들은 의무라는 점에서 보더라도 이 국채를 모르겠다고는 할 수 없을 것입니다. 그런데 이를 갚을 길이 있으니 수고롭지 않고 손해 보지 않고 재물 모으는 방법이 있습니다.

2천만 인민들이 3개월 동안 흡연을 금지하고, 그 대금으로 한 사람에게 매달 20전씩 거둔다면 1천 3백만 원을 모을 수 있을 것입니다. 만일 그 액수가 다 차지 못하는 일이 있더라도, 응당 자원해서 일원, 십원, 백원, 천원을 특별 출연하는 사람도 있을 것입니다.

— 〈대한매일신보〉(1907년 2월 21일자)

대한제국의 외교권을 박탈한 일본이 대한제국에게 반강제적인 차관을 제공하였으나, 대한제국은 차관을 갚을 능력이 없었다. 그러나 사실상 일본이 대한제국에게 제공한 차관은 일본이 한국에서의 지배력을 강화하는 데 사용되었고, 1907년(대한제국 융희 원년)에 이르러 1300만 원에 달했다.

일본은 대한제국에게 차관을 제공하여 한국의 경제를 일본에 예속시키고자 했다. 그것의 일환으로 1905년에 일본인 재정고문 메가타를 조선에 보내, 화폐정리사업을 실시하여 우리나라의 은행들은 일본 은행에 종속되었고 차츰 조선의 경제권을 장악하기 시작했다.

차관 제공도 이와 같은 의도에서 시작되었고, 결국 1300만 원이라는 빚을 진 한국은 이를 갚을 능력이 없었다. 이에 1907년 대구에서 시작된 국채보상운동은 나라의 빚을 갚기 위해 국민들이 시작한 '빚 갚기' 운동이었다.

김광제와 서상돈은 단연회(斷煙會)를 설립하고 직접 모금운동에 나섰으며, 국채보상기성회(國債報償期成會)를 비롯하여 당시의 언론기관인 〈대한매일신보〉, 〈황성신문〉, 〈제국신문〉, 〈만세보〉 등이 참여했다.

이것이 각 신문에 게재되자 각계의 호응이 불같이 일어났으며, 고종황제와 관료들도 동참 의사를 피력했다.

특히 많은 부녀자 층이 참여하여 각종 패물을 보내오는 등의 범국민적인 운동이 전개되었다. 남자는 담배를 끊고, 여자는 비녀와 가락지를 내어놓으면서까지 국채를 갚으려는 국민들의 열망은 참으로 뜨거웠다.

또한 대구를 비롯하여 한성부, 진주, 평양 등지에서 여성국채보상운동 단체가 설립되었다.

한편 이준은 공개 재판 사건이 일단락되자, 부인 이일정 여사와 함께 국재보상운동에 헌신하기로 작정했다. 이준은 관리들의 부인을 참여시키고, 전국적으로 강연 활동을 하면서 국채보상운동을 독려했다.

국채보상운동이 전국적으로 일어났지만 이를 체계적으로 관리할 조직이 없다 보니 적지 않은 문제점이 야기되었다.

이에 김광제, 이면우, 박용규, 이종일, 서병규 등은 국채보상지원금종합소를 설치하자는 데 의견을 모으고, 1907년 4월 1일 국채보상전국연합운동의 임시 회합을 가졌다.

이튿날까지 계속된 회의에서 이준은 명칭을 '국채보상연합회의소'로 바꿀 것을 제안하고, 순 한글로 국채보상연합회의소 취지서를 작성하여 발표했다.

문제점을 해소하면서 활발하게 전개되던 국채보상운동은 이준이 헤이그 특사로 파견되자 임원이 교체되기도 하였지만 꾸준히 전개되었다.

당시 국채보상운동을 주도한 모임은 국채보상기성회이고, 주 활동 언론사는 〈대한매일신보〉로 양기탁과 베델이 중심을 이루었다.

이에 통감부는 모금액을 두 사람이 마음대로 소비하였다면서 양기탁을 구속시켰고, 베델을 해외로 추방하는 공작을 하면서 국채보상운동의 지도자를 불신케 하는 데 성공했다.

양기탁은 그 후 무죄를 선고받았지만, 이미 국채보상운동의 불길이 꺼진 후였다.

2장 …

우리나라
최초 검사 이준

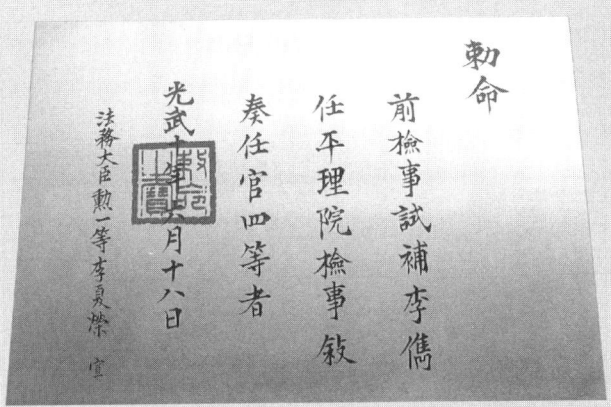

勅命

前檢事試補李儁

任平理院檢事敍

奏任官四等者

光武
月十八日

法務大臣勳一等李夏榮 宣

대검찰청은 이준 열사의 순국 100주년인 2007년에 '검사 이준'의 삶을 기리는 작업을 추진, 이준 검사의 흉상을 청동으로 제작하고, 그의 검사 임명장을 복원해 대검찰청에 전시했다(사진 : 대검찰청 제공).

"이준은 부패와 친일을 단죄한 검사의 사
표(師表)이다."

— 장호근(작가)

황제의 인척에게 징역 10년을 구형하다

 1895년 4월 청일전쟁이 일본의 승리로 끝나면서 우리나라는 청국과의 사대관계에서 벗어나 마침내 대한 자주 독립의 주권을 갖게 되었다.

 사료에 따르면, 이준은 순릉 참봉직을 그만두고 상경하여 갑오개혁(1894년) 이듬해인 1895년 우리나라에 처음 설치된 법관양성소의 1회 졸업생이 된다. 구한말 조정이 육성한 최초의 근대 법관인 것이다.

 그러나 고종황제의 특사로 네덜란드 헤이그에 파견됐다가 순국한 이준 열사가 검사를 지냈다는 사실은 잘 알려져 있지 않다.

 이준은 1896년 한성재판소 검사 시보로 법률가의 삶을 시작했다. 하지만 첫 번째 검사 시보 생활은 한 달 만에 끝이 나고 말았다.

 본시 강직하고 비리를 모르는 이준은 대소 사건을 처리함에 있어서 고위층의 압력을 단호히 배격하고 일관되게 공명정대한 척결을 함으로써 당시의 탐관오리와 정치협잡배들의 간담을 서늘하게 만들었다.

 따라서 사사건건 부패한 관리들과 마찰을 빚어 모함을 받게 되어 관직에 환멸을 느끼던 차에 대관의 타락을 탄핵한 까닭으로 출사(出仕)한 지 33일 만에 면관(免官)되었다.

이후 이준 검사는 조선독립협회 평의장 역할을 맡아 활동하는가하면, 대한보안회를 조직하여 일제의 황무지 불하 취소 운동을 전개했다.

그런 중에 신변의 위협을 받게 되어, 고종의 아관파천(1896년)때 장박(張博) 등과 함께 일본으로 망명하게 되었다.

망명한 이준은 일본 와세다 대학에서 2년여간 법학을 공부한 뒤귀국했으며, 1906년 대한제국 최고의 사법기관인 평리원★ 검사로재임용됐다.

그리고 한 달 뒤에 특별법원 검사로 임명되었다. 헤이그 특사로떠나기 1년 전의 일이다.

이준은 법률의 기강을 바로잡고 대관 중신들의 뇌물 수수는 물론난신적자를 잡는 좋은 기회를 얻게 된 것을 기뻐했다.

평리원은 이준이 적십자회와 공진회에서 활동할 때 그를 기소하고 재판했던 기관이다.

이준이 평리원 검사로서 직무를 어떻게 수행했는지를 알려주는여러 자료들이 남아 있다. 그중 널리 알려진 몇 가지 일화가 있다.

이준은 임관 초기에 다른 법관들이 손을 댈 엄두를 내지 못하고

★ 평리원(平理院)
대한제국 때에, 재판을 맡아보던 중앙 관청.
초고 법원에 해당하는 것으로, 1899년에 고등 재판소를 고쳐 두었다가, 1907년에 없앴다.

있던 권세가 풍양 조씨와 남양 홍씨 사이의 산송을 엄정하고 공정하게 처리하여, 이를 계기로 고종의 신임을 얻게 된다.

고종황제

이준이 검사로 임명된 특별법원은 황족인 예양도정 이재규★의 형사피고 사건을 재판하기 위하여 1906년 8월 1일부터 10월 26일까지 설치되었던 것을 말한다.

정3품 벼슬에 오른 고종황제의 인척 이재규는 한홍석, 일본인 등과 부화뇌동(附和雷同)하여 경기도 가평군 소재 전답의 문권과 증권을 위조함으로써 자기 소유로 만들었고, 황족의 지위를 이용해서 토지를 빼앗았다.

이에 1906년 5월 가평군에 사는 한병교가 이재규 등을 고소했다.

평리원에서는 특별법원을 개정하여 법부협판 김규희, 구명조, 판

★ 이재규(李載規, 1877~?)

조선후기의 왕족으로 장조의 서3남 은전군(恩全君)의 증손이다.

1906년에 도정으로 진봉하여 예양도정(禮陽都正)이 되었다.

이해 7월 31일 형사 피고로 피소었고, 왕명으로 형사 피고 사건을 심리한 것을 공시했다. 이해 10월 24일 이준 검사는 〈형법대전(刑法大全)〉 제200조 8항의 외국인을 빙자하여 본국 사람을 협박하고 침해한 법조문에 비추어 징역 10년을 구형했으나, 고종은 이재규를 유배형으로 완화시켜 주었다.

이해 10월 26일 형사 피고 사건은 이미 결안되어, 특별 법원을 철폐했다.

사 이규식 등이 특별법원 판사를 맡고, 검사 이준과 이건호, 정석규 등이 특별검사를 맡게 되었다.

이때 이준은 이재규에게 10년 징역을 구형했다. 그러나 이재규는 고종의 명에 의해 유배형으로 완화되었다.

이렇듯이 그는 법을 법답게, 법관을 법관답게, 왕법의 운영을 공정하게 하려 하였으며, 법치국가의 안정성인 왕법의 권위를 영원히 지키려 했다.

악전고투하며 한말(韓末)의 법계를 재현하려던 그 위대한 정신이야말로 영원히 우리 겨레의 호법신(護法神)이 되었다고 하겠다.

법부대신을 고소하다

헤이그 특사로 파견되어 생을 마감하기 전, 이준은 굽힐 줄 모르는 지사형 법률가의 기질을 발휘했다.

은사령(사면) 안의 작성을 둘러싸고 법부의 간부와 평리원 검사 이준이 정면으로 충돌한 것이다.

1906년 10월 황태자의 재혼 가례를 맞이하여 고종황제가 은사령을 내렸고, 평리원 검사 이준은 평리원 소관 죄인 중에서 은사 대상자의 명단을 작성하는 책임을 맡았다.

이때 이준은 검사로서의 기개를 펼치게 된다.

법부에서는 형사국장과 문서과장을 통해 법부에서 작성한 명단을 이준에게 참고하라며 전해 왔다.

이준은 은사 대상자 명단 작성은 검사의 고유 권한임을 강조하면서 법부안의 수용을 거절했다.

이준은 을사오적을 처단하려다 체포되어 복역 중이던 나인영, 오기호를 사면자 명단에 포함시켰을 뿐 아니라, 정치범들을 은사 대상자 명단의 첫머리에 올려놓았다.

하지만 법부의 직속상관인 형사국장 김낙헌은 이준이 작성한 명단을 그대로 올리지 않고 다른 중죄인을 명단에 넣어 고종황제에게 보고했다.

이준은 이를 시정하라고 요청했지만 거절되자, 1907년 2월 법부 형사국장 김낙헌을 고소했다.

그러자 법부는 2월 20일 하관이 상관을 고소한 죄로 이준을 체포하여 심판하라는 통첩을 평리원에 보냈다.

이로써 이준 검사는 항명죄로 구속되어 법정에 서게 된 것이다.

이준의 체포 사실이 알려지자 대한자강회, 서북흥학회, 국민교육회 등을 비롯한 수많은 군중이 평리원으로 몰려와 이준의 석방을 요구했다.

이준은 3일 만에 일시 보석의 형식으로 석방되었다.

그러나 이준은 석방 후에 법부 문서과장 이종협, 평리원 수반검사 이건호를 피고로 평리원에 다시 고소했다.

이준이 제시한 고소 내용은 다음과 같다.

법부 문서과장 이종협은 그 직권이 단지 소송을 접수하는 것에 그치고 검사의 직권이 없는데도 범과를 논죄하라고 하며 통첩하여 월권을 범하였고, 또한 상관의 명령을 받지도 않고 임의로 통첩한 것이니 법을 왜곡하여 사사로이 평리원 검사에게 촉탁한 것이다.

이건호는 이러한 사문서를 받아 본부에 보고하지 않고 함부로 동료를 체포하였으니, 응당 보고를 하지 않고 법을 왜곡하여 촉탁을 받은 것에 해당한다.

더욱이 이준이 을사늑약 반대운동을 한 자들을 석방시키려고 하다가 체포되었다는 것은 외교상으로도 중대한 문제였다. 때문에 법부에서는 통감부에 평리원의 경비를 강화해 줄 것을 요청했다.
평리원은 이준을 체포한 이유에 대해 이렇게 적고 있다.

평리원 검사 이준이라는 자가 가례에 관련한 특사 인원 중에서 한일협약(韓日協約)에 반대한 범죄인의 특사를 아울러 시행할 것을 주장하고, 그 의론이 법부대신에게 받아들여지지 않음을 분격하여 동 대신을 칙명 위반이라고 참방(讒謗)하고 법부대신을 고소했다.

3월 2일 평리원은 이준을 재판정에 인치하고 고문 경찰과 일본 헌병의 삼엄한 경계 속에서 재판을 개정했다.
공판정에 선 이준은 재판에 앞서 기독교 신자답게 기도를 올렸다. 또한 '하관이 상관을 기소하는 법률이 있느냐?'라는 재판장의 질문에 형법대전의 관련 조항을 보여 주며 항변했다.
평리원은 이준에게 '하관이 상관을 고소하고, 문서과장 이종협이 공문을 파괴한 것도 상사의 지시를 어겨 격례가 아니므로, 이준의 행위는 월권한 것'이라고 하여 태형 100대에 처하는 판결을 내렸다.
이준은 이에 불복하여 판사가 법률에 어둡다는 점을 지적하며 비판했으나 받아들여지지 않고 일본 경찰에 의해 감옥에 구금되었다.

고종황제는 이준의 형을 태형 70대로 감하라는 칙명을 내렸다. 태형 100대면 당연히 면관되는 것인데, 고종은 특명을 내려 면관을 막아 준 것이다. 이준은 속(벌금)을 바치고 석방된 3월 13일에 다시 평리원 검사로 출근했다.

하지만 이준은 뜻을 굽히지 않고, 3월 16일에 의정부 참정대신 박제순에게 법부대신과 평리원 재판장 이하 관리와 법관들을 모두 면직하고 벌을 줄 것을 청원했다.

請 願 書

請願人本院狗因 李 儁

右請願은 本人이 在家이압더니 本院 使令이 持拿引狀來故로 本人이 卽爲拿引而去하야 待令하온즉 本院檢事李建鎬가 出供案紙欲出供故로 本人이 先問日有何事件乎아한즉 李建鎬日 自法部로 有通諜故로 令爲拿致審問이라하압기 本人이 取其通諜見之則 是乃本部文書課長 李鍾協通諜也라 通諜內開에 本院檢事李儁이 有濫罪라하얏스니 本部文書課長이 有論 罪檢事之職權이온지 不知하갯삽고 且李建鎬도 論之라도 以堂勅任檢事로 受其指揮藍督於本部文書課長하야 擅行拿引何 療之擧가 載在何法律乎잇가 本人을 苦行拿引之事 즉 有本部大臣閣下之訓令然後에 司也어늘 此等文書課長 李鍾協과 此等首班檢事李建鎬는 有何自己擅用法律인지 未知하갯삽고 此等之人은 普溺職

하압기 玆에 請願事

光武 十一年 二月 十九日

法部大臣 李夏榮 閣下

이 글을 의역하면 다음과 같다.

청 원 서

청원인 본원구수 이 준

우청원은 본인이 집에 있었더니 본원 사령이 나인장을 가지고 오는 고로 본인이 곧 나인되어 가서 명령을 기다리고 있사온즉 본원 검사 이건호가 아무 수속도 없이 하는 까닭에 본인이 먼저 묻기를 어떠한 사건인가 한즉 이건호 말하기를 법부에서 통첩이 있는 고로 이번에 체포하여 신문한다 하옵기 본인이 그 통첩을 본즉 이것은 본부문서과장 이종협의 통첩이니라 통첩 내용에 본원 검사 이준이 범죄가 있으니 본부 문서과장이 검사의 죄를 논할 직권이 있사온지 알 수 없사옵고 또 이건호로 말하더라도 당당히 칙임 검사로서 그 지휘 감독을 본부 문서과장에게 받아서 동료를 멋대로 잡아간다는 것은 법률이 어디에 있다고 하오리까.

본인을 만약에 나인할 일이 있은즉 본부 대신 각하의 훈령이 있은 연후에 그렇게 할 것이어늘 이러한 문서과장 이종협과 이러한 수반검사 이건호는 어찌 자기가 자기 멋대로 법률을 쓰고 있는지 모르겠사오며 이러한 사람들은 모두 익직하옵기 이에 청원함.

1907년 2월 19일

법부대신 이하영 각하

이준이 청원서에서 '검사는 국가의 대표가 되어 형법상 독립의 권한을 가지며 공소 제기의 권한을 가진다'고 언급한 대목만 보더라도, 그는 근대적 법률관과 법치에 근거한 민주적 검찰제도를 신념으로 지니고 있었음을 알 수 있다.

이준은 이 청원서에서 법부대신 이하영★, 형사국장 김낙헌, 평리

★ 이하영(李夏榮, 1858~1929)

일찍부터 일본어를 익혔고, 국내에 영어를 말할 수 있는 사람이 거의 전무할 때 영어를 배워서 고종의 통역을 맡게 되었다.

1887년 주미 공사관 서기관으로 부임했다가, 1889년 초대 미국 공사 박정양이 귀국하자, 서리(署理)로 공사직을 맡게 되었다.

귀국 후 여러 관직을 거쳐 1902년 외부대신으로 승진했으며, 1904년 대내외 정책을 독자적으로 할 수 없게 한 제1차 한일협약(정식 명칭은 '한일 외국인 고문 용빙에 관한 협정서')을 체결하였고, 충청도・황해도・평안도의 어로권을 일본에 넘겨주기도 하였다.

1905년 을사늑약 때는 법부대신으로서 조약체결에 대해 처음에는 불가하다고 주장했다가 찬성으로 의견을 바꿨다. 이후 일본으로부터 종3위 훈1등 자작 작위를 받고, 중추원의 고문에 임명되었다.

원의 검사와 판사들을 규탄하면서, 그들의 죄목을 '허위로 주본을 올린 죄, 고의로 사람의 죄를 더하고 뺀 죄, 법을 굽힌 죄와 그것을 촉탁한 죄, 월권의 죄'라 규정했다.

관련된 인물 중 법부 형사국장 김낙헌은 이준과 같이 법관양성소를 제1회로 졸업한 자이다. 그는 이준과 달리 줄곧 법부와 평리원, 기타 관직을 오가며 고종을 측근에서 보좌했다. 그리고 이원긍이나 이건호는 독립협회에서도 활약했던 인물들이다.

법부대신 이하영은 이준이 고종황제의 감형으로 검사직을 유지하자, 그를 면관시킬 방책을 도모했다.

통감부의 하세가와 사령관과 일본인 법무보좌관에게 사안을 설명한 후, 분풀이라도 하듯이 재판에 관여한 평리원 판사들에게 '상관에게 제대로 보고하지 않고 마음대로 처결했다'는 이유로 견책 처분을 내린 것이다. 그러면서 아울러 법관의 체모를 손상시켰다 하여, 이준의 면관을 요청하는 주본을 고종에게 올렸다.

결국 이준은 면관되었다.

하지만 이 사건으로 '강직한 검사'로 각인된 이준 열사는 이후 고종황제의 밀명을 받고 헤이그에 특사로 파견되는 막중한 임무를 맡게 된다.

검사 이준에 대한 평가

　현직 검사가 법부와 평리원의 사법 관리들을 기소하고 탄핵한 것은 근대 사법 사상 초유의 일이었다.

　이 사건 직후, 고종황제는 이준이 비록 정치적 바람에 의해 면직되긴 했지만 그 기개를 높이 평가했다.

　그리하여 이상설, 이위종과 함께 헤이그 만국평화회의 특사로 파견하기로 결정했다.

　이준은 구한말 1세대 법률가로서 서구 열강 중심의 세계 질서 속에서 자강과 자주, 즉 문명국의 반열에 서는 독립적인 주권국가 건설 요체가 법치의 실현에 있음을 주장하고 이를 몸소 실천한 행동가이다.

　이준은 대한제국이 국권 상실의 위기에 처했던 1907년 평리원 검사로서 그의 신념을 여실히 펼쳐 보였다.

　대관들의 비행을 규탄하고 제소하는 활동을 펴왔으며, 공진회 회장으로 있을 당시에는 정부 고관들을 규탄하다가 처벌을 받은 예도 있었다.

법관멸법(法官蔑法, 법관을 업신여긴 법)

"평리원 검사 이준 씨가 금번 사전에 법부로부터 자기 멋대로 뽑아온 일에 대하여 법부에 소송한 일은 각 신문에 게재와 논설이 명백하였거니와 문서과장 이종협 씨는 접수하고 그 서류를 돌리는 권한뿐인데 법과를 말한다는 것이 법으로서 당치 않으며, 평리원 검사 이준 씨는 상부의 훈령이 처음부터 없는데 죄 없는 동료를 멋대로 구인하였으니 이 같은 무시한 법률은 옛날부터 듣지를 못한 바요, 세상에 없는 바라고 여론이 분분하더라."

사회에서는 이렇게 문제화되어 갔고 또 이준은 당당히 청원서를 제출했다.

이러한 것을 본 법부대신 이하영은 이준을 그렇게 만만히 하다가는 더욱 일이 거칠어질 모양이므로 이준을 석방하여 문제의 확대를 축소하기로 했다.

그리하여 이준은 3일 만에 일시 보석의 형식으로 석방되었다.

이준은 보석되던 날, 안국동 자택으로 나

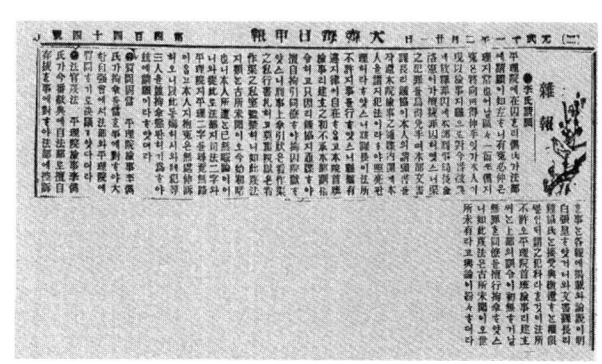

1907년 2월 21일자 〈대한매일신보〉의 이준에 대한 기사문

와 자기 개인의 문제는 그만두고 국법을 바로잡기 위하여 불법과 월권의 행동이 뚜렷한 법부 문서과장 이종협, 평리원 수반검사 이건호 등을 피고로 고소장을 제기했다. 그리고 사회 각계 각층에서 분개하여 공정한 여론이 비등했다.

다음에 이준의 고소장과 〈황성신문〉 주필 박은식(朴殷植, 상해 임시정부 대통령이었던 분)의 '法不可私(법불가사)' 제하의 논설이 가장 날카로웠다.

여론과 필봉으로 사회가 문단으로 떠들고 일어나니 법부대신 이하영과 형사국장 김낙헌 등에 대하여는 모든 정세가 대단히 불리하게 되어 자못 근심으로 지내는 중에 붙들렸던 이준으로부터 또 형사국장 김낙헌, 문서과장 이종협, 평리원 검사 이건호 3인의 행동은 법부의 사법(司法) 두 자와 평리원의 평리(平理) 두 자를 무색하게 했으니 아울러 구속하여 징판하라는 청원서가 또 제출되었다. 그리하여 문제가 점점 확대되어 저지할 길이 없게 되었다.

일반 사회에서는 이에 대하여 이하영, 김낙헌, 이종협, 이건호 등의 야비한 행동을 간파하게 되자 이준의 원호 운동이 대대적으로 전개되어 급기야는 각 정치 단체와 기타 사회 교육 단체에서 궐기하여 서대문 밖 독립관 국립 연설대에서 각 회 연합 대연설회가 개최되었다.

25일 월요일 하오 1시에 이준 검사 옹호 사법 공정을 절규하게 되었다.

— 〈대한매일신보〉 제444호 (1907. 2. 21)

이준 열사는 당대의 백성들로부터 호법신(護法神)이라고까지 추앙받은 법치주의자였다.

앞에서도 언급했듯이, 우리나라 변호사 제1호인 홍재기는 이준 사건을 변호했던 것이 생애 최고의 보람이라고 말하기도 했다.

그리고 일제의 압력을 뿌리치고 독립운동가 이상재 선생에게 무죄 판결을 하여 면관될 정도로 강직한 기상을 지닌 판사 함태영★(이준과 법관양성소 동기)은 해방되는 해에 이준 열사 추모제를 주도하였고, 기념사업회 회장을 맡는 등으로 이준에 대해 애절한 추모의 정을 쏟아 부었다.

처벌의 위험을 무릅쓰고 검사의 직권과 법의 수호에 대한 소신을 굽히지 않고 맞설 수 있었던 것은 법치의 확립을 통하여 자강과 독립을 달성할 수 있다고 믿고 실천하였기에 가능했다.

1년도 채 안 되는 평리원 검사 재직 기간 동안, 이준은 법부와

★ 함태영(咸台永, 1873~1964)
독립운동가·종교인·정치가. 호는 송암(松岩).
1895년 '재판소구성법' 공포에 따라 설치된 법관 양성소를 1898년 수료했다.
한성재판소 검사로 있을 때, 독립협회사건으로 구속된 이상재를 비롯한 중심인물 17명에게 가벼운 벌을 내려 파면되었다.
이후 대심원·복심법원 판사를 지내다가 1910년 한일합병 후 공직을 떠났다.
3·1운동 때에 민족 대표 48인의 한 사람으로 투옥된 후에 출옥하여 목사가 되어 교회 사업을 하면서 독립운동을 전개했다.
8·15 광복 후에 심계원장, 한국신학대학장을 거쳐 1952년에 부통령에 당선되었다.

평리원의 사법 관리들보다 더 법률가다운 모습을 보여 주었다.

그런 의미에서 이준은 법관 양성소나 당시의 법 실무와 법교육이 아니라, 독립협회이래의 자주 민권 자강운동이 길러낸 지사형 법률가라고 할 것이다.

이준은 우리의 근현대 법조사의 첫 페이지에 기록될 역사적 인물이다.

— 부산대학교 법과대학 문용준 교수의 논문에서

3장

이준 열사가 남긴
글과 연설

이준 열사가 1907년 4월 20일 종로 YMCA 강당에서 행한 '생존의 경쟁' 제하의 연설 중에서(천안 독립기념관 내에 있는 이준 열사 어록비).

"이준은 협기와 애국혼,
그리고 뛰어난 정세 판단 능력을 갖춘 선각
자이다."

― 이선준(일성사상연구소장)

한국혼 부활론

이준 열사는 네덜란드 헤이그에서 열리는 만국평화회의에 떠날 준비를 진행하는 가운데, 평소부터 생각해 오던 '한국혼 부활론'을 완성하여 떠나기 전날 부인 이일정 여사에게 넘겨주었다.

국가와 민족을 위하여 민족·민생·민권에 대한 생각을 담은 이 논문은 충정공(忠正公) 민영환(閔泳煥)의 '결고동포문(訣告同胞文)'과 함께 영원히 전해질 글월이다.　　　(편집자 주)

인간이 살았다는 것은 과연 어떤 경우를 말하는 것이며, 죽었다는 것은 과연 어떤 경우를 말하는 것인가?

모름지기 혼이 있는 때를 살았다 말하고, 혼이 떠난 때를 죽었다 말하는 것이다.

그러면 나라가 흥하고 망한다는 것은 무엇을 가르친 것이며, 성하고 쇠한다는 것은 무엇을 가르친 것인가?

백성이 나라를 위하는 정신이 있는 때는 흥하고 성하는 것이요,

그 정신이 없는 때는 망하고 쇠하는 것이다.

만약 사람으로서 영혼이 한 번 간다 하면 어떠한 명의(名醫)가 있다 할지라도 다시 살릴 재주가 없을 것이요, 만일 나라로서 정신이 한 번 흩어진다 하면 어떠한 큰 정치가가 있다 할지라도 바로잡을 방책이 없을 것이다.

이제 어떤 사람이 갑자기 죽었다 하자.

그를 사랑하는 부모는 그 아들의 이름을 부르면서 울 것이요, 그를 위하던 아내는 그 남편 앞에 엎드려 통곡할 것이며, 그에게 의탁하던 아들과 딸은 그 아버지를 부르며 몸부림을 칠 것이요, 그 친한 벗들은 한숨을 쉬고 눈물을 지을 것이다. 그리고 그가 다시 살아나기를 바라는 마음과 정이 간절할 것이다.

이때를 당하여 그 부모, 그 아내, 그 자녀, 그 벗들의 지극한 정리와 정성을 만일 천지가 눈이 있어 능히 보고, 만일 귀신이 있어 능히 듣는다 하면 분명코 감동됨이 있을 것이다. 하물며 사랑의 마음이랴.

그러나 그는 이해하기 어려운 아득히 어둡고 먼 곳〔冥冥幽幽〕에 영원히, 영원히 길이 잠들어 깨어날 줄을 모른다. 그 얼마나 무정한가. 아니다. 그것은 사람이 무정한 것이 아니요, 그 사람의 혼이 무정한 탓이다.

가령 여기에 허수아비를 가져다 두고 아침마다 일깨우며 "너는 말하여 보라, 너는 말하여 보라"고 하면 그 허수아비가 능히 말을 할 수 있을까.

또한 여기에 우상을 가져다 두고 저녁마다 충동질하며 "너는 달려 보아라, 너는 달려 보아라"라고 말한들 그 우상이 능히 달릴 수 있을까. 아니다, 그것은 모두 안 될 말이다.

그러나 사람이 설령 죽었다 할지라도 본래부터 우상이나 허수아비는 아닌 이상, 아직도 혼의 자취가 아주 끊어지지 아니하였으면 슬픈 울음과 애끊는 소리에 다시 머리를 들 수 있는 것이다.

그와 마찬가지로 나라도 본시 우상도 아니오, 허수아비도 아닌 이상, 설사 참혹한 액운에 빠졌다 할지라도 어찌 다시 솟아날 수가 없으랴.

아! 나의 사랑하는 우리 동포들이여!

그것을 아는가 모르는가?

모두 안다 할진대 다행이려니와 만일 모른다 하면 어찌하여 감각이 그다지도 둔하단 말인가.

여기에서 나는 비록 그 길이가 세 치에 지나지 못하는 혀〔舌〕 끝만은 온 나라를 향하여 큰 소리로써 우리 한국혼을 불러야 하겠다. 반드시 불러내야 하겠다.

동쪽을 향해서도 우리의 한국혼을 부르고, 서쪽을 향해서도 우리의 한국혼을 부르며, 남쪽을 향해서도 우리의 한국혼을 불러내고, 북쪽을 향해서도 우리의 한국혼을 불러내야 하겠다.

한국혼이여! 한국혼이여!

반만 년 동안 금수강산을 집으로 삼고, 이천만 민족으로써 식구를 삼아 엄연한 독립된 나라로서 서로 전하여 감히 강한 나라가 업수이 여기려는 것을 용납지 않고서 살아오지 아니하였는가.

한국의 혼이여!

너는 일찍이 고구려의 을지문덕(乙支文德) 장군의 기묘한 계교와 신기한 방책으로 나타나 수(隨)나라 양제(煬帝)의 백만 대군을 깨뜨렸고, 안시성주(安市城主) 양만춘(楊萬春) 장군의 화살에 나타나 당(唐)나라 태종(太宗)의 눈을 맞혀 꿰뚫었으며, 혹은 신라의 장성(長星)이란 칭호가 있는 김유신(金庾信) 장군의 보검(寶劍)에 나타나 당나라 장수 소정방(蘇定方)의 거만한 것을 꺾었고, 혹은 고려 윤관(尹瓘)의 말에 나타나 만주(滿洲) 뜰을 휩쓸었으며, 혹은 서희(徐熙)의 담력에 나타나 여진을 몰아내었고, 혹은 강감찬(姜邯贊)의 장략(壯略)에 나타나 거란의 소손녕(蕭遜寧)을 내몰았으며, 혹은 발해 태조(渤海太祖) 대조영(大祚榮)의 웅도(雄圖)에 나타나 당나라를 대항케 하였고, 혹은 조선조의 이순신(李舜臣) 장군의 거북선에 나타나 왜적을 때려 물리쳐 우리의 역사를 천추에 빛나게 하지 아니하였는가.

이렇게 거룩한 한국혼이여!
이렇게 웅장한 한국혼이여!
네가 오늘 어디서 잠들고 있는가?
노쇠(老衰)한 탓인가, 멸하고 패한 탓인가?
장차 파란(波蘭)의 지난날의 전철(前轍)을 밟으려 하는가?
인도(印度)의 전감(前鑑)★을 보지 못하는가?

★ 전감(前鑑)
  거울을 본 것처럼 앞일을 환히 봄

노년(老年)의 이태리(伊太利)와 같이 장차 다시 소년이 되는 날을 맞이하려 하는가?

그렇지 않으면 북미 신대륙과 같이 두 번째로 건설이 되려는 때를 맞이하려 하는가?

천년이나 오래 잠이 든 사자가 과연 깨어날 기회를 맞이하려 하며, 멀리 떨어져 있는 장경성(長庚星, 太白星)이 과연 다시 비치려는 운수를 가져오려 하는가?

한국혼이여! 한국혼이여!

네가 그 노론(老論), 소론(少論), 남인(南人), 북인(北人) 등 사색편당 때문에 사라지고 말았는가?

네가 그 시(詩)와 부(賦, 문체의 하나)와 표(表, 규범)와 책(策, 책략)을 읊조리기에 흩어지고 말았는가?

네가 그 벼슬의 공명심 때문에 부서지고 말았는가?

네가 그 머뭇, 머뭇이 지내는 통에 파묻히고 말았는가?

한국혼이여! 한국혼이여!

네가 하늘 위에 있는가. 네가 땅 아래에 있는가?

네가 어느 관청이나 어느 마을에 있는가?

네가 어느 당(黨)이나 어느 회(會)에 있는가?

그렇지 않으면 기운이 빠진 늙은이 축에 끼었는가?

어리고 젊은 청년 틈에 섞이어 있는가?

장차 어느 때를 기다려 깨이려 하는가?

저 옛날 이태리(伊太利)의 혼이 일찍부터 무덤 속에 파묻히어 몇천 년 동안 *끙끙거리고* 있다가 별안간 청년 이태리에 나타나 맛치니〔瑪志爾〕가 생기고, 가리발디가 났으며, 카부르〔加富伊〕가 점지되어 옛날 로마의 영광을 회복하였고, 또한 옛날 혁명군의 단독 힘으로 프러시아, 오지리 등 동맹국에 대항하여 백 번 싸워도 굽히지 아니한 것은 불란서의 혼이요, 십삼주(十三洲) 땅으로써 새로 나라를 세우고 영국의 백만 대군과 싸워 팔년 만에 성공한 것은 미국의 혼이며, 저 조그마한 몇몇 개의 섬으로써 바다의 패권을 잡고 있는 것은 영국의 혼이었다.

과거·현재·미래, 소위 삼세상(三世相)이 있어서 어떠한 나라를 막론하고 혼이 없이 그 나라를 잘 만들었다는 것은 일찍 들어 보지도 못하였고 장차로도 들어 보지 못할 것이다.

한국혼이여! 한국혼이여!

지금 너는 어느 곳에 있는가? 몇몇 천년 동안 대대로 전해 온 혼이 하루아침에 없어졌는가?

이천만이 다 같이 하늘에서 받은 혼이어늘 하룻밤에 흩어졌는가?

아무리 불러도 막막히 움직이지 않고, 냉랭히 온기가 없이 한 끝의 신경도 까마득히 감각되는 조짐이 보이지 아니함은 유감된 일이기보다 통탄한 일이 아니고 무엇이랴.

한국혼이여! 한국혼이여!

반만 년 내려오는 중간에 공포의 역사가 무릇 몇 번이었던가?

장차 쌓이고 쌓인 모닥불이 일어나도 가의(賈誼)★와 같이 올 줄을 모르며, 한밤중에 닭이 울어도 조적(祖狄)과 같이 일어나 춤출 줄 모르고, 필경 우리나라로 하여금 슬픈 지경에 빠지게 하였음은 무슨 일인가?

여기에 이르러도 네가 오히려 부끄럽지 않으며 여기에 이르러도 네가 오히려 두렵지 않은가?

슬프다!

오백 년 동안 문을 닫고 베개를 높이 베고 누워서 꽃이 피면 봄인 줄 알고, 잎이 지면 가을인 줄 알며, 해가 나면 낮이요, 달이 뜨면 밤인 줄만 알았고, 밭을 갈아먹을 것을 얻고 우물을 파서 마실 물이 생기면 태평한 시대[康衢烟月]의 세상인 것을 노래하며, 책상 위에 놓인 역사책은 다만 〈통감강목(通鑑綱目)〉★ 등 몇 권이요, 그 희망하는 바는 다만 진사급제 한 가지뿐이요, 일생의 사업이란 것은 벼슬하고 부자가 되겠다는 것뿐이다.

또한 그 듣고 본 것이란 것은 돌구멍[城內] 안에 그쳤고, 그 사색(思索)이란 방 안에 잠기어 아무런 찔림도 없고 아무런 감동도 없이 그저 그대로 아는 것도 없고 듣는 것도 없이 살아 왔을 뿐이었던가.

★ 가의(賈誼)
   중국 전한 초기의 사상가.

★ 〈통감강목(通鑑綱目)〉
   주희(朱熹)가 엮은 책으로 사마광(司馬光)이 〈자치통감(自治通鑑)〉을 강목별로 분류하여 편찬한 책.

그렇다. 이에 만일 네가 모른다 하면 책망할 길 없겠다.

　그러나 임진왜란(壬辰倭亂)이며 병자호란(丙子胡亂)을 네가 어찌 머리를 돌이켜보지 못하며, 병인양요(丙寅洋擾)와 신미사건(辛未事件)을 네가 어찌 귀를 기울여 듣지 못하였으며, 병자통상(丙子通商)과 임오군란(壬午軍亂)에 네가 어디 있었으며, 갑신정변과 갑오경장에는 네가 어디로 갔던가?

　모름지기 팔도강산이 물 끓듯이 움직이게 된 그 급하고 위태한 형세가 이웃나라의 못된 비평을 빗발같이 받았음에도 불구하고 너는 오히려 주저하던 그 버릇이 여전하고 슬그머니 뒤로 물러서던 그 버릇이 변하지 아니하였으니 이것이 웬일인가?

　서울에 있는 관원들은 주사(主事, 관청의 관리)와 의관(議官, 고종 때 베풀었던 벼슬)의 값을 따지고, 시골의 선비들은 사람과 짐승이 다르며, 중화[華]와 오랑캐[夷]가 다르다는 것만 논란하고, 정계의 파란은 달팽이의 촉각(蝸角) 싸움처럼 쉴 새가 없고, 지방의 정상은 생령(生靈)의 비명이 그칠 새 없음은 이것이 웬일이랴?

　그래도 산의 정자(山亭), 수각(水閣)에는 승평재상들이 편히 눕기만을 일삼고, 숨기고 감추려는 현실에는 나라를 걱정하는 우국남아(憂國男兒)가 끊어지려 하니 이것이 무슨 대상의 현실이냐?

　이렇게 저렇게 하는 동안 세계 지구의(地球儀) 가운데서 우리 한국의 한자리의 옛 자취를 잃어버리게 되니 참으로 슬프다.

　우리 한국의 혼이여! 너는 조국의 부끄럼을 잊어버리고 말려는가? 지난 일은 차마 들을 수 없고, 차마 말할 수 없다.

　다만 눈물이 펑펑 흐르고 슬픔만이 용솟음칠 뿐이다.

그러나 오는 일에 대하여는 오히려 될 만한 성질이 없지 아니할 것이다. 어찌하여 장래의 희망을 바라보고 용맹스럽게 살피지 아니하는가?

우리의 혼이 한 번 또 한 번 빼어났다 하면 자유도 될 수 있고 독립도 될 수 있는 것이다.

한국의 혼이여!
너는 독립의 혼이 되고, 노예(奴隷)의 혼이 되지 말라!

한국의 혼이여!
너는 자유의 혼이 되고, 개와 말[犬馬]의 혼이 되지 말라!

한국의 혼이여!
지금 너는 물이 새는 배[船] 가운데 있다. 닻줄과 노(櫓)를 놓지 말지어다. 한 번 마음을 놓으면 풍랑(風浪)이 두렵다.

한국의 혼이여!
지금 너는 험한 비탈에 있다. 조심하여 헛디디지 말지어다. 한 번 실족하면 땅에 깔린 가시덤불이 두렵다.

한국의 혼이여!
너는 평안히 앉지 말지어다. 평안히 앉기만 하고 용맹스럽게 뛰지 못하면 너를 그물질하려는 놈, 너를 끌려고 하는 놈, 너를 밀어내는 놈, 너를 넘어뜨리려는 놈이 수 없이 와서 너를 해치리니 이를 어찌 할 것이냐.

한국의 혼이여!
너는 모름지기 단결하며 헤어지지 말지어다. 헤어져서 단결이 못 되면 너를 쏘려는 놈, 너를 찌르려는 놈, 칼을 가진 놈, 총을 멘 놈들이 모두 와서 너를 해치리니 이를 어찌할 것이냐.

슬프다, 한국혼이여!
너는 이미 살아온 지가 사천 년이 넘었도다. 그리하여 청국, 일본, 영국, 미국, 법국, 덕국, 그 여러 나라가 너의 후진이 아닌가.
그런데 지금 그들은 우리를 평등으로 대접하지 않고, 그들 우리를 벗으로 불러 주지 아니하니 이러한 부끄럼이 어디 또 있을 것인가. 친구로 대접하여 주지 아니할 뿐만 아니라 호랑이도 되고 사자도 되고 승냥이도 되어 오히려 우리를 위협하니, 이것이 두렵지 않고 무엇이 두려울 것이냐.

슬프다, 한국혼이여!
너는 동포가 이천만이나 있고나. 그리하여 이웃집에는 두령 이에 싸인 '비스마르크' 같은 어린아이를 안아 볼 수가 있고, 마을 초당(草堂) 안에서는 '워싱턴' 같은 아이를 기르는 것을 볼 수가 있다. 이 아들을 데리고 놀며 이 손자를 양육함에 있어서 어찌 분발하는 마음 이 없을 것이냐.

슬프다, 한국혼이여!

너의 땅덩이는 팔만 이천 평방리(平方里)가 있다. 이 조국의 유업(遺業)이 장차 자기의 소유가 되지 못하고 뼈 속의 기름까지가 모두 남의 손에 농락되고 말 것인가. 그런 뒤에 땅을 찾고 집을 찾으려면 그 슬프고 분한 생각은 이루 말할 수 없을 것이다.

오늘날 참으로 우리 한국의 혼이 없다 하면 비록 천 번 변화와 만 번 어려운 운수를 지냈다 할지라도 필경은 아무런 도리가 없을 것이다. 그러나 우리 한국의 혼이 있다 하면 씩씩한 한국혼이 다시 살아 길이길이 살 것이다.

원컨대, 벼슬의 욕심을 청산하고 우리 한국의 혼을 살리자.
원컨대, 여러 위험을 청산하고 우리 한국의 혼을 살리자.
원컨대, 쇠퇴하는 못된 성질을 청산하고 우리 한국의 혼을 살리자.
원컨대, 부패한 습관을 청산하고 우리 한국의 혼을 살리자.
그래서 굽히지도 않고 흔들리지도 않는 정신으로써 이천만 동포가 한 입[口], 한 마음으로 한국혼을 불러일으키고 불러내자.

우리가 이 혼이 없으면 사람이어도 사람 아닌 사람이요, 이 혼이 없으면 나라이어도 나라가 아닌 나라가 되는 것이다.

지금 가령 육대주(六大洲)의 오색 인종이 섞이어 한 나라를 이루고, 한 주재자(主宰者)를 세우고, 한 정부에 복종하여 언어가 같아지고, 풍속이 통일되며, 살빛 누른 남자와 살빛 흰 여자가 서로 혼인을 하고, 구라파 사람이 형도 되고 아우도 되며, 아시아 사람이 아우도

되고 형도 되어 한 집안에서 거처하여 통틀어 한결같이 된다 하면 모르거니와, 그렇지 아니한 지금에 있어서 바야흐로 서양의 세력이 동양을 삼키려는(西勢東漸) 기운 때문에 우승열패 약육강식의 전례를 면치 못할 것이다.

이때에 있어서 한국의 혼이 다시 살아나서 세계 여러 나라의 혼과 대등하게 나아가지 못하면, 우리 한국의 참혹한 환란은 물론이요, 동양의 위태함은 불에 비치어 보는 것보다 뚜렷이 알 수 있는 일이다.

극렬한 상업과 공업 경쟁으로 말미암아 우리 동포는 때로는 백리, 날로는 천리씩 찌부러져서 우리의 민정과 우리의 국세는 몇 해를 지나지 못하여 하늘을 쳐다보며 통곡하게 될 것이다.

아, 우리 동포가 장차 이렇게 되고 우리나라가 장차 이렇게 된다면 차라리 굴원(屈原)★의 뒤를 따라 고기밥이 될지언정 어찌 차마 초(楚)나라가 망하는 것을 볼 수 있을까.

차라리 백이(伯夷)★의 뒤를 따라 수양(首陽)에 죽은 혼이 될지언정 어찌 차마 주(周)나라 곡식을 한 톨이라도 먹을 수 있을까. 차라리 한 집안 형제로 더불어 노련(魯連)의 뒤를 따라 동해 바다 속에

★ 굴원(屈原)
  중국 전국시대 초나라의 정치가, 시인. 모함을 당해 자신의 뜻을 펴지 못하고 물에 빠져 죽었다.

★ 백이(伯夷)
  형제인 백이(伯夷)와 숙제(叔齊)는 군주에 대한 충성을 끝까지 지킨 의인으로 알려져 있다.

문힐지언정 어찌 다시 진 나라 임금의 남은 부끄러움을 말하며 차라리 일국의 의사(義士)들과 함께 전횡(田橫)의 뒤를 따라 외로운 성에 갇히고 말지언정 어찌 차마 한 나라의 뜰을 한 걸음인들 밟을 수 있으랴.

슬프다! 우리나라가 장차 이와 같이 되고, 우리 민족이 장차 이와 같이 된다 하면 우리나라는 마침내 보존하지 못할 것이요, 우리 동포는 장차 보존되지 못할 것이다.

하늘을 우러러 생각하고 땅을 굽어 생각하면 낮에는 밥 먹기를 잊어버리고, 밤에는 잠자기를 잊어버리며, 앉아서는 나라를 보전할 것을 생각해 보고, 걸으면서도 백성을 보호할 것을 생각하며, 또한 시시(時時)로는 나라를 보전할 것을 생각해 보고, 각각(刻刻)으로는 백성을 평안히 할 것을 생각하여 보아도 별다른 도리가 생각되지 않는다.

우리의 보국(保國)과 안민(安民)은 우리 한국의 혼이 다시 사는 이외에는 다른 도리가 없다.

우리의 한국혼이 다시 살아나서 엄연히 독립한다면 저 칭기즈칸, 저 알렉산더 대왕, 저 피터 대제, 저 나폴레옹과 같은 고금에 무서운 야심가가 어깨를 같이하여 왼편으로 끌고 오른편으로 당기면서 우리나라를 엿본다 할지라도 조금도 두려울 것이 없을 것이다.

그러나 오늘에 있어서 혼이 다시 살아나지 못하고 내일이 또 내일에 이르고, 금년에 있어서 혼이 도로 오지 못하고 명년이 또 명년에 이른다 하면, 서구 열강의 바람[歐風]과 아시아의 몰아치는 비[亞雨]

가 장차 우리나라를 휩쓸어 가게 될 것이다.

그리하여 붉은 귀신〔紅鬼〕과 검은 시체〔黑屍〕는 장차 우리 동포들을 불러 짝을 지어 놀자 할 것이다. 이것이 어찌 슬프지 아니하고 무엇이 슬프다 하겠느냐.

우리의 대한(大韓), 아무리 수천 년이란 오래고 자랑스러운 역사를 가진 나라라 할지라도 조국혼의 부활이 없으면 세계의 여러 나라는 우리나라를 독립 자주국인 여러 나라 속에서 그 나라의 자격을 제쳐 버리기에 조금도 주저하지 아니할 것이다. 이것이 어찌 슬픈 일이 아니고 무엇이랴.

그러면 우리의 욕되지도 않고 멸망되지도 아니할 조국 혼을 어떻게 하면 불러일으키며 다시 살아날 수 있을까.

이 조국 혼을 다시 살리고 뜻한 데까지 이르려면, 모진 바람과 억센 비, 무시무시한 가시덤불 등 여러 가지의 장해와 난관이 많을 것이다.

그러나 이 어려운 나라의 걸음을 결단코 멈추지도 말고 꺾이지도 말고 침착한 의기로써 활발하게 애써 나가며 웅대하게 뻗으며 제각각 스스로가 천하에 큰 임무를 짊어졌다는 기상과 혼을 길러 나가야 할 것이다.

그 천하를 위한 넓고 큰 기백을 가지고 어떠한 깨달음으로써 조국 혼을 부활시키며 어떠한 포부로써 조국 혼을 다시 살리게 하느냐 하면 우리 민족에게 비치며 밝혀 주는 높은 덕(德)과 믿음, 성스러운 정성으로 얽혀 나오는 도의로써 천하에 독립케 하는 것이 즉 한국의 깨달음일 것이고, 여러 나라와 화목하여 함께 길이 살아나가는 대의

명분(大義名分)을 천하에 선포하는 것으로써 힘을 다하는 것이 즉 한국의 포부일 것이다.

한국의 각오 가운데는 허다한 혁신과 경장(更張)이 필요하고 한국의 포부에는 꿋꿋한 성의와 친선(親善)이 필요할 것이다. 나라 안에 있어서는 광복(光復) 넓고 무거움[重恢]의 정신을 일으키어 같은 마음과 같은 도리로써 정치와 경제를 윤택하게 하여야 하며, 국제간에 있어서는 권모(權謨)와 술수(術數)를 버리고 정정하고 당당하게 나라의 위신을 베풀어서 내외가 모두 대의명분으로써 공통이 되고 연합이 되는 길을 열어야 할 것이다.

이렇게 지극히 어려운 큰일을 행하는 데 있어서는 때로는 자기의 몸을 나라에 바치는 것을 사양치 않겠다는 각오를 가져야 할 것이다. 즉 다시 말하면 죽을힘을 다하는 국민이 되어야 할 것이다.

우리 민족이 죽기를 각오하고 나가는 길이야 뉘라서 옳고 그른 것을 말하겠는가. 이렇게 죽기를 맹세한 정신으로 우리가 뭉치기만 하면 비단 우리나라의 갱생뿐만 아니라 동양의 공존영생(共存永生), 나아가서는 세계의 협화공존(協和共存)에 이바지하는 도의의 광채가 진실로 큰 바 있을 것이다. 그것을 완전히 이루는 것이 우리의 큰 임무이며 동시에 우리의 가장 큰 자랑이라 하겠다.

그래서 한국혼의 도의로써 된 의기와 정신으로 우리나라의 열약성(劣弱性)을 먼저 물리치고 그 다음으로는 동양의 시들고 느른해짐[萎微性]을 내몰아 밖에서 들어오는 거만스러운 것과 무례한 것을 누르고, 마침내 세계의 사심(私心)과 천하의 사욕(私慾)을 뿌리 채 빼 버려야 할 것이다. 그것이 우리 한국혼의 확충성(擴充性)이요

그것이 한국혼의 부활이며 갱생이다.

우리 한국혼이 부활되고 갱생되어 먼저 자기의 나라를 안정케
하고 마음에 천하의 사심과 사욕을 소멸시키는 임무로써 세계에 높
이 앉을 날이 있다면 이는 우리 한국혼이 세계적으로 사표성(師表性)
이 되는 것을 천하에 밝히 보이게 될 것이다.

나는 이 말의 실현성을 확실히 믿으며, 또한 이 말이 우리 한국혼
이 영생하는 것과 같이 되기를 빌어 마지아니하는 바이다.

한국혼 일곱 요지

1. 한국혼은 독립자유(獨立自由)의 혼!
2. 한국혼은 동족애호(同族愛護)의 혼!
3. 한국혼은 대의명분(大義名分)의 혼!
4. 한국혼은 일치단결(一致團結)의 혼!
5. 한국혼은 건설개척(建設開拓)의 혼!
6. 한국혼은 세계협화(世界協和)의 혼!
7. 한국혼은 살신성인(殺身成仁)의 혼!

한국혼 부활가(韓國魂 復活歌)

1. 혼이로세 혼이여 무궁화 꽃동산에
   그 이름 한국혼. 송이송이 피는 꽃.
   (후 렴)
   살리자 한국혼
   크거라 한국혼
   뭉치자 한국혼
   뛰어라 한국혼

2. 혼이로세 혼이여 반만년 긴 역사에
   그 이름 한국혼, 글자 글자 맺힌 혼.

3. 혼이로세 혼이여 아들도 딸에게도
   그 이름이 한국혼, 대대손손 끼친 혼.

4. 혼이로세 혼이여 지키면 길이 살고
   그 이름이 한국혼, 잃어지면 죽은 혼.

생존의 경쟁

이 강연은 이준 열사가 헤이그로 떠나기 이틀 전인 1907년 4월 20일(음력 3월 8일)에 대한자강회 초청을 받아 청년들에게 강연한 '생존의 경쟁' 제하의 강연 내용이다.

지금부터 100년 전에 시장경제의 원리를 기초로 경쟁의 중요성과 그 원칙을 설파한 이준 열사의 학식과 신념 그리고 선각자적 풍모를 확인하면서 경탄을 자아내게 된다.

열사께서 토해 낸 사자후 '생존의 경쟁'은 오늘날에도 교훈적인 내용이기에 소개한다.

만장한 젊은이들로부터 많은 질문이 쏟아지자 이준 선생이 답한 내용은 불후의 명연설로 기록되고 있다.   (편집자 주)

무릇 세상에 만물이 말썽이 많아 뒤숭숭하고 시끄러움이 반복되며〔粉粉還還〕 아름답고 푸른〔藝藝蔥蔥〕 삼라만상(森羅萬象)이 소멸하고 자라며 성하고 쇠함〔消長盛衰〕이 모두 생존경쟁이 아닌 바가 없습니다.

경쟁이라 하는 말은 약육강식(弱肉强食)과 우승열패(優勝劣敗)를 표현하는 말로서 경쟁하는 방식은 반드시 칼이나 총 같은 무기로써 서로 다투고 서로 죽이는 것만이 아니요. 무릎을 맞대고 나란히 합석하며[比膝], 악수하며, 대변하며, 예의를 지켜 서로 사양하며[禮讓] 담소(談笑)하며 예절을 갖춘 준조(樽俎, 예절을 갖

강연 내용을 알리는 당시의 글. '生存(생존)의 競爭(경쟁)'과 '李儁(이준)' 글자가 보인다(왼쪽에서 두 번째).

추어 하는 공식적인 잔치)로 절충하는 사이에 있어서도 그 화단(禍端, 화를 일으킬 실마리)이 칼이나 총으로 쟁투하는 것보다도 더욱 극렬한 바가 있는 것입니다.

이러한 화단의 극렬한 경쟁은 우리 인간사회에 있어서 없기를 원하는 바이지만, 경쟁이라 하는 것은 시세의 추이에서 자연히 빚어져 나오는 것으로서 하지 아니하려 해도 하게 되는 것입니다.

공부를 하든지 농사를 짓든지 장사를 하든지 공장을 하든지 관리가 되든지 어떠한 사업을 물론하고 우리 인간에 천만사(千萬事)가 다 우승한 승리를 가져 보려 하는 것은 언제든지 현재의 생활보다 이상적인 생활을 바라고 있는 우리 인간의 본능이라 하겠습니다.

이러한 경쟁 없이는 쇠퇴와 멸망이 따르므로 누구나 할 것 없이 각자가 먼저를 다투고 낫기를 다투어 나아감은 인생계의 자연한 추

세요, 이로부터 경쟁이 극렬함도 당연 이상의 당연이라 아니할 수 없습니다.

경쟁하는 모양과 그 종류가 한 가지가 아니요, 두 가지가 아님은 말할 것도 없거니와 몇 가지 예를 들어 말하면, 생활을 위하여 경쟁하는 자도 있으며 혹은 권력을 위하여 경쟁하는 자도 있으며 혹은 영예를 위하여 경쟁하는 자도 있으며 혹은 욕심을 위하여 경쟁하는 자도 있습니다.

그러나 그 경쟁하는 내용을 살펴보면 기실은 이익을 위하여 경쟁하는 바가 거의 십의 팔구라 하겠습니다. 저 수억만의 재산을 가졌다 해도 겉곡식을 새김질하는 것과 다름 아니며 당장 죽음을 모르면서 조금도 괴로운 줄을 모르고, 병사(兵士)와 민족을 전쟁 마당에 몰아넣어 그 상함을 조금도 아끼지 아니하고 육박(肉迫)과 혈전으로써 토지를 다투며 권리를 다투니, 이것이 다 무엇을 의미하는 것이겠습니까?

만약 이익이 없다면 이러한 일은 하지 아니할 것입니다. 가령 죽도록 싸워서 그 얻은 바가 광막한 사막으로서 불모의 땅이라 하면 싸움은 아니할 것이요, 또 격렬한 전쟁을 하여 우승한 결과에 비록 영광스러운 명예를 세계 천하에 얻음이 있다 하여도 한갓 백성만 살해하고 한갓 재산만 탕진하여 실제에 배상의 승리가 없는 싸움이라 하면 또한 반드시 이를 하지 아니할 것입니다.

그리고 보면 세계 천하의 경쟁이라 하는 것은 다 이익을 위하여 하는 것이라 하겠습니다.

혹자는 말하되 문명한 나라는 정의와 인도를 위하여 전쟁한다

하며, 혹은 영원한 평화를 위하여 하는 일도 없지 않다 하나 이러한 전쟁은 영원히 없다 하기 어려우나 매우 있기 어려운 전쟁법의 하나라 하겠습니다. 이러한 전쟁이 있다손 치더라도 우리는 오로지 부국강병을 도모하여야 할 것입니다. 이것은 위정자로서 극히 주의하지 아니하면 아니 되는 일이라 하겠습니다.

우리 대한제국 동포형제들은 천하태평으로 수백 년 동안을 안녕히 살아 왔으므로 내외에 있어서 경쟁이라는 것이 무엇인지를 모르고 살아 왔습니다.

그리하여 게으른 마음, 안일한 마음, 의뢰하는 마음, 유약한 마음이 골수에 젖어, 공부하는 사람은 실학의 연구는 힘쓰지 아니하고 쓸데없는 글을 숭상하여 부패한 데 떨어져 분기(奮起)할 줄 모르며, 농사하는 사람은 하느님의 은택과 땅의 힘만 믿고 농사는 잘 되든지 못 되든지 조금도 연구와 발전을 할 줄 모르며, 공업을 하는 사람은 조악(粗惡)한 물건을 개량할 줄 몰라 공예와 미술은 날로 퇴보하고, 장사하는 사람은 무역의 흥리(興利)를 몰라 때로 상업이 쇠퇴하며, 기타의 만반 사업이 모두 이와 같아서 낡은 습관이 몸에 배어 우선 당장은 편안함으로 그럭저럭 지내오니 민생의 빈궁은 이루 말할 수 없는 현상입니다.

우리가 매일 듣고 보는 세계의 경쟁을 어찌하여 무심히 간과하려 하는가?

우리는 깨기 싫어도 깨어야 하겠고, 알기 싫어도 알아야 하겠고, 하기 싫어도 하여야 하겠은즉 분연(奮然)히 일어나 경쟁심을 가지고 나아가야 하겠습니다.

지금 경성 이외 모든 항구와 시장과 각 군의 도회와 경부·경의 양 철도의 좌우 정류장이며 기타 해변 어촌은 물론이고 살 수 있는 땅이면 저 일본 사람이 와서 장사하며 농사하며 공장을 세울 뿐 아니라 수산업이니 광산업이니 하는 데까지 손을 뻗쳐 온 가지 활동을 주야를 무릅쓰고 괴로움을 모르면서 하니 오늘 이것이 무슨 현상이며, 이 현상이 우리에게 무엇을 교훈하는 것이냐 말입니다.

우리는 이 우승열패(優勝劣敗)의, 즉 극렬한 경쟁 무대에 커다란 시련을 받고 있는 것이 아닌가 합니다.

이 현상대로 간다 하면 수년을 넘지 아니하여 우리의 태극기의 깃발에 조포(弔布)를 달 것이니, 이것이 두렵지 아니하고 무엇이 두려울 것이냐!

눈을 들어 세계의 문명한 국가의 모양을 보라!

촌락 촌락에 자제를 교육하는 학교가 있으며, 지역 지역마다 의료 기관이 있으며, 농민에는 농민 조합이 있으며, 상인에게는 상업 회의소가 있으며, 공업자에게는 공업조합이 있으며, 노동자에게는 노동조합이 있으며, 금융 은행에는 화폐 재정의 연구회가 있으며, 선박 운수에는 선박 운수조합이 있으며, 어산에는 수산조합이 있으며, 산림에는 산림조합이 있으며, 기타 만반의 일에 대해서는 상궤를 벗어나지 않는 언행과, 조직이 세밀하고 경위가 정세함은 이것이 다 자세히 연구해서 나아가며 분분한 경쟁을 일삼는 것이니 극렬하게 경쟁하는 가운데 발달과 부강을 가져오는 것입니다.

이 현상은 우리가 듣지 아니하려 하여도 할 수 없고 보지 아니하려 하여도 할 수 없는 생동하는 무궁한 세계의 현상임에야 어찌할 것입니까?

이 세상 모든 나라에서 국내적 경쟁은 국내에서만 그치는 것이 아니라 날로 국외에 손을 뻗히고 나와 국제적 경쟁을 극렬히 하게 되는 것입니다.

이 국내적 경쟁의 결과는 국내의 동족 사이에 적자생존의 기풍을 고취하여 향상케 하며, 이 국제적 경쟁은 다른 나라와 다른 민족 사이에 적자생존의 우승열패를 다투게 되니 그 결과는 우승한 자는 부강한 나라로 활약하게 되고, 열패한 자는 빈약한 나라로 고민케 되어 약육강식의 실정을 여지없이 드러내고 말 것입니다.

이 부강한 나라와 빈약한 나라에 있어서 경쟁을 의미하는 전쟁이 일어난다 하면 그 결과는 과연 어떻게 될까?

국내의 우승열패는 같은 동족 사이에 갑은 이기고 을은 진다 할지라도 한 국가의 눈으로 볼 때에는 손실이 없다 하겠으나, 한 국가와 타국가 사이의 우승열패는 전연 패배를 의미하는 것으로 기 국가와 기 민족이 영영 멸망에 이르나니 이 어찌 두렵지 아니한 일입니까?

나의 사랑하는 동포와 형제여!

힘 있는 대로 지혜가 있는 대로 정성이 있는 대로 모든 것을 발휘하여 국내 만반 사이에 있어서 극렬한 경쟁심을 분발(奮發)하여 우리의 것은 우리의 손으로 휘어잡아 타민족에게 빼앗기지 말며, 타민족에게 빼앗겼었던 것은 모두 도로 빼앗아 우리 동족의 생존 경쟁에 지장이 없게 하여야 할 것입니다.

우리 이천만 동포가 다 각기 잘살겠다고 생존경쟁을 극렬히 하면 이 가운데에서 연구와 발달이 쌓이고 쌓여 우리 민족은 문명 부강한 민족으로, 우리 국가는 문명 부강한 국가로 민격(民格)과 국격(國格)을 이루어 이웃나라와 상대하여 경쟁할 수 있는 민족 국가로서 활약할 수 있게 될 것입니다.

동시에 다른 부강한 민족이나 국가의 침략, 즉 약육강식의 대상을 면할 것입니다.

우리는 자나 깨나 우리나라 우리 동포의 말할 수 없는 이 빈약한 현상은 한시 바삐 퇴치하여야 하겠습니다. 이렇게 함에는 우리 이천만 민중이 누구나 할 것 없이 다 극렬한 생존경쟁자가 되어야 할 것입니다.

우리 이천만의 생존경쟁자가 한 덩어리가 되면 이는 곧 우리 민족 국가의 부강을 의미하는 것이요, 우리 민족 국가의 부강은 타국가의 경쟁적 침략을 견제 또는 봉쇄하게 되는 것입니다. 지금 저 일본은 우리 한국이 약한 틈을 타서 약육강식의 수단으로 침략하여 온 지 오래됨은 우리나라의 삼척동자까지도 다 알고 있는 사실이 아닙니까?

우리는 하늘이 선천적으로 타고난 우리의 생존경쟁의 권리를 확충하여 일본의 침략의 마수를 하루 바삐 쫓고 우리나라를 본연의 상태로 돌려 무궁부강의 기초를 하루 바삐 닦아 경쟁이 극렬한 열강으로 더욱이 호형호제(呼兄呼弟)하는 지경에 도달되기를 바라는 바입니다.

청중과의 일문일답

이 연설이 끝나자 잠깐 동안 청중과의 문답이 열리게 되었다.

이러한 일은 이준의 연설이 끝난 후 흔히 있는 일로서, 오랫동안 연설을 듣고 나서도 이준의 말을 좀 더 듣고 싶어 하는 청중들의 요구가 열화와 같았기 때문이다.

청중 속에서 한 청년이 일어나 이준에게 큰 소리로 물었다.

"선생님께 묻겠습니다. 우리나라가 큰 나라로 될 수 있다고 생각하십니까?"

이준은 대답했다.

"나는 언제나 항상 이러한 생각을 가지고 있습니다. 큰 나라라 하는 것은 땅덩이가 크고 사람이 많은 것보다 위대한 인물이 나는 나라야 한다고 생각합니다. 설령 땅덩이가 손바닥만 하고 사람이 아주 적은 나라라 할지라도 위대한 인물이 많은 나라는 큰 나라라고 하고 싶습니다."

청년이 다시 물었다.

"권력이라는 것은 국민과의 관계가 어떠한 것입니까?"

이준이 대답했다.

"속되게 말하는 권세는 권력이 아닙니다. 이것은 국민을 괴롭게만 하는 것입니다. 그러나 가장 좋은 권력과 가장 높은 권력은 참으로 좋은 것입니다. 국민 전체가 다 권력이 있게 되기 때문입니다. 이것은 곧 국가 이상의 권력은 없다는 말이 되는 것입니다."

이와 같은 대답을 하자 이번에는 청년들 수십 명이 너도나도 손을 들었다.

이준은 여러 청년들에게 손을 내리라고 하고, 이렇게 말했다.

"이와 같이 문답을 하다가는 몇 날이 가도 끝이 없을 것 같습니다. 여러 청년들의 지식 열이 이와 같이 왕성함을 볼 때에 기쁨을 금할 수가 없습니다. 열심이라 하는 것은 희망도 되고, 천재도 나게 하는 것입니다. 그러나 정당한 진실이 아닌 열심은 어두운 밤중에 먼 길을 가는 것 같은 위험성이 있습니다. 지금 손을 든 이가 너무 많으니까 내가 총괄적으로 몇 마디 대답하겠습니다."

이준은 정신적 개혁, 생활개혁, 풍속개량, 산업부흥, 정치 혁신 등에 대하여 간단한 풀이를 하면서 생(生)과 의(義), 충(忠)과 애(愛), 도(道)에 대하여 다음과 같이 말했다.

질문에 답하면서 이어진 이준 열사의 강연

생선도 나의 욕심이요, 곰의 발바닥(熊掌, 8진미 중 하나)도 나의 욕심입니다. 그러나 이 두 가지를 겸하여 얻을 수 없으면 생선을 버리고 곰의 발바닥을 취하겠습니다. 삶[生]도 나의 욕심이오, 의(義)도 나의 욕심입니다.

그러나 이 두 가지를 겸하여 얻을 수 없으면 삶을 버리고 의를 취하겠다는 말이 있습니다.

이것은 맹자(孟子)가 크고 적은 것을 비유하여 생(生)과 의(義)의

취사(取捨)를 말씀한 것으로서, 우리는 더럽게 살려고 하지 말고 영광스럽게 의를 취하여야 할 것입니다.

다음으로는 충(忠)에 대한 잠언(箴言)입니다. 하늘이 덮인 곳과 사람이 밟는 곳에 충(忠)보다 더 큰 것은 없습니다. 충은 중(中)입니다. 지극히 공평하고 사사로움이 없는 것입니다.

하늘은 사(私)가 없이 사시(四時)를 행하며, 땅은 사(私)가 없이 만물을 나며, 사람은 사가 없이 크게 정(貞)을 형(亨)하는 것입니다.

충이란 그 마음을 오로지 한 곳으로 쓰게 하는 것을 이르는 것입니다. 나라를 보전하는 근본이 어찌 충에 유(由)하는 일이 없을 것이냐. 충은 능히 군신을 같이하고 사직(社稷)을 평안히 하여 천지를 감케 하며 신명(神明)을 움직이게 하는 바가 있습니다.

그 충은 몸에서 흥(興)하고, 가(家)에서 뚜렷이 나타나고, 국(國)에서 성(成)하나니, 그 행은 일(一)에 있는 것입니다. 그러므로 그 신(身)을 일(一)함은 충의 시(始)요, 그 가(家)를 일(一)함은 충의 중(中)이요, 그 국(國)을 일함은 충은 종(終)입니다. 신(身)이 일(一)로 되는 때는 백록(百祿)이 이르고, 가(家)가 일(一)로 되는 때는 육친(六親)이 화(和)하고, 국(國)이 일(一)로 되는 때에는 만인을 이(理)케 하는 것입니다.

그러므로 온전한 몸은 충의 시작이며, 온전한 집은 충의 중간이며, 온전한 나라를 이룩하는 것이 충의 끝이 된다는 것입니다.

다음으로는 국가의 최고애(最高愛)를 말하겠습니다. 국민은 사랑

할 뿐이다. 그러므로 이롭게 하여 해치지 말며, 이루게 하여 깨치지 말며, 살게 하여 죽이지 말며, 주고 빼앗지 말며, 즐겁게 하여 괴롭게 말며, 기쁘게 하여 성내게 하지 말아야 할 것입니다.

그리하여 민(民)을 거느리기를 부모가 자식을 사랑하듯 하며 형이 동생을 사랑하듯 하고, 춥고 굶주림을 보는 때에 이를 위하여 걱정하여 주며, 그 노고를 보는 때에는 이를 위하여 슬퍼해 주고, 상벌(賞罰)을 내 몸이 당하는 것같이 하며, 부렴(賦斂, 세금을 매겨 받아냄)도 내가 당하는 것같이 하라. 이것이 민(民)을 사랑하는 도(道)니라.

이 말은 태공여망(太公呂望)의 육도중(六韜中) 문도편(文韜篇)에 있는 것입니다.

생(生)·의(義)·충(忠)·애(愛), 네 가지의 설법(說法)은 참으로 지당한 성언들이었습니다.

지금 우리가 능히 이 네 가지의 잠언(箴言)을 이행할 수 있고, 이행케 할 수 있다면 우리 민족의 자유복락(自由福樂)과 우리 국가의 완전 독립은 손바닥을 뒤집는 것보다도 더욱 쉬운 일이 될 것입니다.

이 네 가지로 우수한 민족국가를 이룬 후에는 천하 세계의 인류와 더불어 동심동덕(同心同德)의 일도(一道)로 돌아가면 천하만국(天下萬國)은 곧 평화 될 수 있을 것입니다.

'천하는 한 사람의 천하가 아니다. 천하의 천하다. 천하의 이(利)를 같이하는 자는 천하를 얻고, 천하의 이(利)를 마음대로 하는 자는 천하를 잃게 된다.'

하늘에는 때[時]가 있고 땅[地]에는 재(財)가 있나니, 이것은 사람과 더불어 같이하면 이는 인(仁)이라 하는 것입니다. 인(仁)한 곳에는 천하(天下)가 돌아오는 것입니다.

사람의 죽음을 면케 하고, 사람의 어려움[難]을 풀어 주고, 사람의 근심[患]을 구하여 주며, 사람의 위급[急]함을 건져 주는 것은 덕(德)입니다. 덕이 있는 곳에는 천하가 돌아오는 것입니다.

사람과 걱정[憂]을 같이하고, 즐거움[樂]을 같이하고, 좋은 것[好]을 같이하고, 악(惡)을 같이함은 이것이 의(義)입니다. 의가 있는 곳에는 천하가 좇는 것입니다.

무릇 사람은 죽음[死]을 나쁘다[惡]하고, 생(生)을 즐겁다[樂]하며, 덕(德)을 좋아[好]하고, 이(利)에 돌아가[歸]나니, 이(利)를 생(生)하는 것은 도(道)라 하는 것입니다. 도가 있는 곳에는 천하가 돌아가는 것입니다.

이 말은 역시 태공여망(太公呂望)의 육도(六韜)의 문편 가운데 있는 말입니다.

천하는 천하 사람의 천하입니다. 이(利)를 생(生)케 하는 것은 도(道)라 하였으니, 이 천하 세계는 다 우리들의 천하 세계라는 말이요, 생생 불기(不己)하여 인류를 홍익(弘益)케 하는 것이 인류 천하의 최상도라 말한 것입니다.

우리가 생(生)·의(義)·충(忠)·애(愛)·도(道)의 다섯 가지를 바르게 보고 바르게 알게 됨[定見正識]을 우리가 모두 목표로 삼고 나아간다면 우리는 이 한국의 행복과 자유만이 아니라 세계의 평화와 행복까지도 실현할 수 있는 것입니다.

　여러분 청년들은 삼가 들으시라.
　이 천하 홍익의 도는 실로 우리의 단군성조(檀君聖祖)께서 우리 동방에 시조로 군림하시던 반만년 전에 외치신 주의의 대도(大道)입니다. 즉 단군성조께서는 맨 처음 성스러운 360 율령(律令)을 발포하사 우리 종족의 번영을 계획하시고, '홍익인간(弘益人間)', 즉 널리 인류를 이익하게 하는 세계 천하 인류 홍익의 대도까지 내리셨던 것입니다.
　우리의 세계 인류의 공영적인 홍익의 주의는 이와 같이 유구한 역사를 가져오고 있었던 것입니다. 그러함에도 불구하고 간간히 어둠 속에 매몰〔灰暗埋沒〕된 것 같은 시대상(時代相)을 가져와, 우리의 성자(聖者)요 대정가(大政家)이시던 율곡(栗谷) 이이(李珥) 선생으로 하여금 '유유(悠悠)한 수천재(數千載)가 다만 이 장야의 느낌을 어찌할 수 없다'며 탄식하는 장탄(長嘆)의 언사를 토하시게 된 것입니다.
　지금 우리들은 참으로 율곡 이이 선생보다 몇 십 배 몇 백배의 앙천통탄(仰天通嘆)을 면할 수 없는 현상에 놓여 있습니다.

　여러분!
　여러분은 다 같이 단군성조의 홍익인간의 도를 실현키로 하여 봅시다.
　우리가 하고 또 하고, 하고 하고 또 하면 아니 될 일이 없을 줄로 나는 확신합니다. 이 신념 하에서 그 정신을 굳게 가지고 여기에서 위대한 이념을 구체화하여 각종 각계의 문화사업, 산업발달, 과학연구, 기타 만반의 혁신운동을 한 사람이 백 사람의 정신과 기세로 나아가기로 합시다.

(이날의 광경은, 전반은 정치가로서의 의의 깊은 연설이었고, 후반은 학자적 교화(敎化)로서의 만세태평의 도(道)를 개척하는 강좌였다.

이준의 최후의 사자후(獅子吼)는 우리들의 마음에 영원히 남는 명연설이었다.

그는 이 연설을 남기고, 이틀 후 헤이그로 떠났다.)

4장 …

헤이그 특사 이준

1907년 7월 9일에 발행된 〈만국평화회보〉에 실린 헤이그 특사 3인의 기사.
왼쪽부터 이준, 이상설, 이위종.

"이준은 생사관이 분명한 우국지사였다."

— 이양재(서지학자, 고미술가)

대한제국 말의 역사

적지 않은 사람들이 대한제국 말 고종황제를 유약하고 어리석은 사람으로 생각하며, 명성황후★를 영악하고 욕심이 많은 여성으로 보는 경향이 있다.

그러나 실제로 고종황제는 서양의 개화 문명을 수용하지 않고는 나라가 발전할 수 없다는 판단을 했고, 명성황후 또한 황제와 뜻을 같이한 내조자였다.

고종황제는 1882년 한미수호통상조약★을 체결하고, 에디슨 전

★ 명성황후(明星皇后, 1851~1895)
   조선 고종의 비(妃)로서, 민비(민씨 성의 비라는 뜻)로 많이 알려져 있다. 대원군의 집정을 물리치고 고종의 친정(親政)을 실현했다. 통상 수교에 앞장서 1976년 일본과 외교 관계를 맺게 했으며, 임오군란 후에는 청나라를 개입시켜 개화당을 압박하고 친러시아 정책을 수행하다가 을미사변 때에 피살되었다.

★ 한미수호통상조약(韓美修好通商條約)
   1882년(고종 19년)에 우리나라와 미국 사이에 수호와 통상을 목적으로 맺은 조약. 우리나라가 구미(歐美) 제국과 맺은 최초의 조약이다. 조미통상조약(朝美修好通商條約)이라고도 한다.

기회사와 전기시설 도입 계약을 체결하여 1887년에 경복궁 안의 건청궁에 백열등을 밝히기도 했다.

건청궁 안의 전기는 동경에 비해 3년 늦었고, 서울에 전차가 달린 것은 동경보다 3년 앞선 일이었다.

또한 이북 지역의 광산개발에 초점을 둔 국토개발계획을 수립하였고, 워싱턴 DC를 모델로 하는 도시개조사업을 실시했다.

서울 시청 앞의 방사상 도로체계는 대한제국의 도시 개조 사업의 산물이다.

또한 광산 개발과 철도 부설을 위해 외자를 유치하고, 국고은행(산업은행의 전신인 대한천일은행)을 설립했으며, 국고 발행을 위한 중앙은행(한국은행의 전신)을 발족하고자 준비하기도 했다.

1900년 일본 공사는 대한제국의 변화가 괄목하므로 일본이 투자를 더 많이 해야 한다는 건의서를 본국에 제출하기도 했다.

그러나 일본은 군사력을 강화하여 한국의 모든 것을 탈취하는 방향으로 움직였다.

19세기 중반 국제법과 정세를 보는 한·중·일의 시각은 달랐다.

중국은 국제법이 중국의 전통적인 조공책봉 체제를 대체하는 것이라는 점에서 이의 수용을 거부하였고, 일본은 서구 열강에 대해서는 국제법의 모범국으로 가장하면서 약소국에 대해서는 침략의 도구로 삼는 전략적 수단으로 악용했다. 한국은 영세중립국으로 살아남기 위해 이 법을 성실하게 지키고자 노력했다.

한국의 노력에 대해 일부 열강은 호의적으로 보았지만, 러일전쟁 발발과 함께 한국의 중립국 선언은 포화 속에 묻히고 말았다.

또한 러일전쟁에서 일본이 승리하자, 이후 한일 간의 모든 협약은 일본의 군사적 시위 속에 황제의 재가를 받지 않고 이루어지게 되었다.

그런 중에 제2차 한일협약(을사늑약)이 고종황제의 재가는커녕 각료회의의 통과도 없이 몇몇 친일 매국노에 의해 강제로 맺어진 것이다.

고종황제는 이를 무효화하기 위해 백방으로 노력했다. 이를 미국에 알리는가 하면, 1906년도에 개최 예정인 만국평화회의*에도 특사를 파견하기로 계획했다.

고종황제는 1906년 6월의 만국평화회의를 위해 한국에서 선교 활동을 하던 미국인 선교사 헐버트 박사에게 위임장을 주고, 7개국 국가 원수에게 보내는 서신도 대동시키는 등으로 방법을 강구했다.

그런 중에 한국은 1905년 9월 만국평화회의 의장국인 러시아 황제로부터 만국평화회의에 참석할 대표단을 보내 달라는 초청장도 정식으로 받았다.

뒤늦게 이 사실을 알게 된 일본은 제2차 한일협약을 내세워 한국이 외교권이 없다고 주장하면서 한국 초청을 취소하라고 요구하더니, 만국평화회의를 1년 뒤로 미루는 데 성공했다.

★ 만국평화회의
러시아 황제 니콜라이 2세의 제창으로 세계 평화를 도모하기 위하여 개최된 국제회의이다.
제1차는 1899년 26개국, 제2차는 1907년 44개국의 대표가 네덜란드의 헤이그에서 회합했다.

그렇게 미뤄진 만국평화회의가 1907년 7월에 네덜란드의 수도 헤이그에서 열린다는 소식이 전해져 왔다.

고종황제는 이준, 이상설★, 이위종★ 세 특사를 헤이그의 제2차 만국평화회의에 파견하게 된다.

★ 이상설(李相卨, 1870~1917)
　독립운동가. 자는 순오(舜五), 호는 부재(溥齋).
　1904년에 식년문과(式年文科)에 급제하여, 의정부 참찬을 지냈다.
　을사늑약이 체결되자 조약의 폐기를 상소하였고, 1907년에 이준, 이위종과 함께 고종의 밀서를 가지고 헤이그에서 열린 제2차 만국평화회의에 참석했다. 이 특사 사건으로 일본 통감부의 궐석 재판에서 사형을 선고받았다.
　이후 국외 해외 독립운동 기지 건설 및 설립에 이바지했다.
　1911년 권업회를 창설했으며, 1914년 러일전쟁 5주년 기념일을 기하여 대한광복군정부 수립을 주관하여 정통령에 선임되기도 했다.

★ 이위종(李瑋鍾, 1887~?)
　조선 고종 때의 외교관, 독립운동가.
　아버지는 범진(範晉)이다. 외국 공관장인 아버지를 따라 미국·영국·프랑스·러시아 등을 순회하여 외국어에 능통했다.
　아버지가 주러시아 공사가 되자 상트페테르부르크 주재 한국공사관 참사관(參事官)이 되었다.
　1905년 을사늑약으로 외교권이 박탈되자 각국 주재 한국 공사관이 폐쇄되고, 일본 정부가 소환령을 내렸다. 그러나 그는 이에 응하지 않고 아버지와 함께 상트페테르부르크에 체류하면서 외교활동을 했다.
　1907년 이준, 이상설과 함께 네덜란드 헤이그에서 열리는 제2차 만국평화회의에 고종황제의 특사로 참석했다. 이 특사 사건으로 일본 통감부의 궐석 재판에서 종신 징역형을 선고받았다.
　그 뒤 블라디보스토크로 가서 항일 민족운동에 가담했으며, 1911년 블라디보스토크 신한촌(新韓村)에서 권업회(勸業會)가 창립되자 이에 가담했다.
　1962년 건국훈장 대통령장이 추서되었다.

이준은 3월 24일 밤, 극비리에 궁에 입궐하여 고종을 만났다. 밀담을 나눈 이준은 결연한 심정으로 어전을 물러나왔다.

그리고 1907년 4월 18일, 고종황제는 이준을 다시 궁으로 불러 어사주를 내리며 격려했다고 한다.

당시 서울에는 대한제국의 외교권을 강탈한 일본을 규탄하는 국권회복운동이 거세게 불고 있었다.

고종황제로부터 누가 밀지를 받아 나왔느냐에 대한 설은 분분하다. 하지만 그 어느 것도 정확하게 확인되지는 않고 있다.

당시에 일본은 고종황제를 덕수궁에서 거처하게 한 후, 일본 헌병을 시켜 궁궐에 출입하는 사람들의 몸수색을 했기 때문에 무엇인가를 가지고 나오는 것은 지극히 위험한 일이었다.

그런 상황에서 누가, 어떻게 신임장을 가지고 나왔을까?

이 점에 대해서는 두 가지 설이 있다.

하나는 고종황제의 신임을 받던 선교사 헐버트가 가지고 나왔다는 것이다.

그리고 또 다른 하나는 전덕기 목사의 친척인 상궁이 가지고 나와 전 목사에게 전해 준 것을 이준에게 전했다는 것이다.

상동교회의 교회사(教會史)를 보면 '전덕기 목사는 이준에게 신임장을 전달하고 그를 위해 마지막 기도를 해 주었다'고 기록되어 있다.

아무튼 고종의 명령을 받고 나온 이준은 나라의 운명이 자신의 어깨에 메였음을 의미하는 시를 남기면서 자신의 한 몸을 바쳐 조국에 보답할 것을 굳게 결심한다.

海牙密使一去後 誰何盃酒靑山哭
헤이그 특사로 갔다 뜻을 이루지 못하고 죽음을 택하게 되면
어느 누가 청산에 와서 술잔 부어 놓고 울어 주려나.

고종황제가 돈유(敦諭)★한 글

고종황제의 돈유문

"내가 경에게 마음이 쏠리며 경이 나에게 딴 뜻이 없이 참됨은 이것이 어찌 예사로운 만남에 비할 바랴. 이에 장차 경으로 하여금 만리 해외로 보냄은 우리나라의 사직을 평안하게 하며 우리 국민을 구제함이 이 일에 있기 때문이다.

경은 나의 뜻을 잇기를 바란다. 그리하여 나라의 위태로움과 어려움으로부터 구하게 하기 위해 여러 나라로 하여금 믿고 감동하는 길을 열게 함이 있으면 그 이상 큰 다행이 없는 줄 안다.

자세한 것은 다시 말하지 않는다. 경은 깊이 양해하기를 바라는 바이다."

★ 돈유(敦諭) : 신하에게 힘쓰라는 임금의 말씀

이것은 어수정(魚水亭)에서 고종황제 어전을 물러나올 때 '만일 뜻을 이루지 못하면 죽음으로 보답하리라'는 일거불갱환(一去不更還, 한번 가면 다시 돌아오지 않음)의 뜻을 밝힌 시참(詩讖, 우연히 지은 시(詩)가 뒷일과 꼭 맞는 일)으로, 헤이그 특사의 길이 마지막이 될 수 있다는 것을 강하게 암시하고 있다.

이준은 평소 고통스러운 일이 있을 때면, 을사늑약에 분개하여 74세의 노구로 의병을 일으켜 왜적에게 항쟁하다가 대마도(對馬島)로 귀양 가서 단식 순국한 면암(勉庵) 최익현(崔益鉉)을 생각했다고 한다.

"이준의 그 뜻은 가상하나 전정이 만 리 같은 사람이 이런 일을 하면 안 돼. 이런 일은 이 노물에게 양보하고, 사문적전(斯文嫡傳)에 한층 노력하기를 바라네."

이런 이야기를 들려주던 면암의 모습을 떠올린 것이다.

최익현이 이준에게 그런 이야기를 들려줄 때만 해도 그의 나이가 십대였는데, 이제 49세의 장년이 되어 있었다.

항일의 거두(巨頭)였던 최익현을 사모하는 마음을 담아 다음과 같은 시를 한 수 지었다고 한다.

學問兼文武義聲四海聞
欲圖安社稷一飯不忘君
학문은 문과 무를 겸하였고
의된 소리는 사해에 들렸도다.

사직의 안전을 도모하고자 하여
한술 밥에도 임금을 잊지 못하였어라.

이준이 특사로 떠날 준비를 하는 중에 이러한 시를 썼다는 것은, 최충현의 충의(忠義)를 따르려는 심경이 그 마음속에 흐르고 있었던 것이 아닐까.

구국의 장도에서 남긴 최후의 시

운명의 날이 밝았다. 궁에서 고종황제의 격려를 받고 나온 나흘
후인 1907년 4월 22일이었다. 이준 열사는 부인 이일정 여사의
배웅을 받으며 서울 안국동 자택을 나섰다.

이준은 황제의 밀서를 품에 지니고 남대문역(오늘의 서울역)에서
기차를 타고 부산으로 향했다. 헤이그까지 가는 64일간에 걸친 고난
의 여정이 시작된 것이다.

부산에 도착한 일성 이준이 며칠 후에 떠나게 될 배를 기다리는
동안 북산에 오르는데, 이때 한식 성묘하는 사람들을 보고 읊은 시참
이 있다.

이는 자기가 한 번 가면 욕되어 돌아오기보다는 죽음으로써 항쟁
하겠다는 비장한 결의를 표현한 것이다.

風雪凍霜我死後 誰將美酒哭青山
바람 눈 서리도 언 자리에서 내가 죽은 뒤에
누구라 장차 좋은 술 가져다가 청산에서 울어 주려나.

아래 시는 헤이그로 떠나는 중에 한국 동포의 전별석상에서 읊은 시다.

秋風蕭蕭兮 易水寒 壯士一去兮 不復還
가을바람 쓸쓸한데 물조차 차구나.
대장부 한 번 가면 어찌 다시 돌아오리.

그런가 하면 헤이그로 떠나는 전날에 당시 애국청년이었던 안창호, 이종호, 이갑이 비밀리에 송별의 자리를 마련했다.

이때 이준은 세 청년에게 각각 작별시를 한 편씩 지어 주었는데, 결국 이것은 열사의 최후의 시가 되고 말았다.

나라의 운명을 걸머지고 헤이그로 가면서 읊은 시를 통해, 이미 죽음을 각오한 심경이 농축되어 있음을 엿볼 수 있다.

治邦無上順民情 開發商工敎厚生
大衆同歸恒産日 驅貧爲國四方平
나라를 다스림에는 민정을 순하게 하며
상공을 개발하고 후생을 가르칠 것이다.
대중이 한 가지 생업으로 돌아오면 가난을 물리치고,
나라를 위하여 사방이 평안할 것이다.

— 안창호에게 준 시

四海寧無日 一家何患憂 平生吾輩事 獨立由由求

온 세상이 평안한 날이 없거늘 한 집을 어떻게 근심할소냐.
우리들 평생 일은 독립과 자유를 찾는 것뿐이로다.

— 이종호에게 준 시

三月春風好 紅花處處家 庭前楊柳樹 又有綠陰多
삼월철 봄바람 좋을세라.
곳곳마다 집집마다 붉은 꽃일세.
뜰 앞에 늘어진 버들 또한 녹음이 많다.

— 이갑에게 준 시

　그리고 아래 시는 이준이 세 청년과 송별의 자리를 파한 후 다시 그 세 청년과 자택으로 돌아와 한 순배를 나눈 후 지은 것으로, 다시 만나기 어려운 회포를 담고 있다.

雪晴雲散北風寒 楚水吳山道路難
今夜與君酒盡醉 明朝相憶路漫漫.
눈은 개고 구름은 흩어졌으며 북풍이 찬데
초나라 물 오나라 뫼로 길이 몹시 험하구나.
오늘 밤 그대들과 함께 마음껏 취해 보자꾸나.
내일 아침 서로 생각날 때에 길이 아득하여라.

　그런가 하면 이준 열사가 평소 애송하던 시가 있는데, 이 시를 통해 그의 정신이 어떠했는지를 짐작할 수 있다.

人死稱何死 人生稱何生 死而有不死 生而有不生
誤生不如死 善死還永生 生死皆在我 須勉知死生

사람이 죽는다는 것은 무엇을 죽는다 이르며
사람이 산다는 것은 무엇을 산다 이르는가.
죽어도 죽지 아니함이 있고
살아도 살지 아니하는 것이 있다.
그릇 살면 죽음만 같지 못하고
잘 죽으면 도리어 영생(永生)한다.
살고 죽는 것이 다 내게 있나니.

이준은 이처럼 문(文)에만 능한 것이 아니요 시(詩)에도 능했다.
그러나 그의 시는 세속 사람들이 많이 쓰는 꽃과 달을 취하는
것이 아니요, 언제나 나라를 근심 하는 애국시였음을 알 수 있다.

이준은 블라디보스토크로 가서, 북간도 용정에 망명하여 그곳에
서 교육 사업에 힘쓰고 있던 이상설과 합류한 후 시베리아 기차에
몸을 실었다.

5월 21일에 출발해서 6월 4일에 러시아의 수도 상트페테르부르
크에 도착한 그들은 러시아 대사 이범진과 통역으로 활동하고 있는
그의 아들 이위종 참사관을 만나 회동했다.

그런가 하면, 전에 한국 공사로 있던 웨베르와 바파로프의 도움으
로 러시아 외무대신 이즈볼스키와 황제에게 직접 고종의 친서를 전
하며, 우리 대표단에게 활동의 편의를 주선해 달라고 의뢰했다.

고종황제가 러시아 황제에게 보낸 친서

大韓光武皇帝親書
大韓光武皇帝李熙謹書于
大露西亞帝國皇帝陛下
朕今日之情勢益尤艱難四顧無訴向之
處乃向
陛下只此煩瀆顒賜厚情之至弊邦之
振興全在
陛下之顧念如何耳
今者開催萬國平和議於議會議得
弊邦之所當實無理由之事是何
聲明之事皆於露日開戰前以中立
奉告韓國會於露日開戰前以中立
之事皆所承認又知世界共知之
事也現下境隔深不堪憤慨
陛下特念弊邦之無故被禍情狀
議開催之際使朕之使節律有得說明
弊邦之形勢以致萬國公然之物議此卽弊邦
原權回收庶可有望果如其然則此非
朕及我韓全國感激不忘
陛下之惠德矣竊有貴國駐韓公使回
去之際付陳顒望之深衷兼有託於其
公使在耳推望
垂諒焉
大韓光武十一年四月二十日
於漢陽京城慶運宮 親署押鈐寶

대한 광무 황제 친서

"대한제국 황제 이희(李熙)는 삼가 글을 대 러시아국 황제께 보내노라. 짐의 오늘날 정세가 워낙 어지러워 되돌아 보건대 하소연할 바가 없다.

이에 폐하를 향하여 다만 이런 사정을 말하니 원컨대 두터운 정을 주기를 바란다. 우리나라가 떨쳐 일어남이 폐하의 염려하여 주는 마음에 있다.

바로 이때에 만국평화회의가 개최된다 하니 이 회의에서 우리나라가 지금 당하고 있는 바가 참으로 이유가 없는 일임을 밝히게 하시면 이런 다행스러운 일이 없을까 한다.

한국이 일찍이 노일전쟁에 있어서 중립을 밝힌 바는 다 아는 바요, 또 세계가 같이 아는 바이다. 현재의 상황이 심히 불쾌하여 견딜 수가 없다.

폐하는 우리나라의 무고한 피해를 특히 생각하시어 이 회의가 개최될 때에 짐의 사절로 하여금 우리나라의 형편을 설명할 수 있도록 하여 주기를 바란다.

그리하여 만국에 이 문제를 일으키게 하여 주기를 바란다.

그와 같이 되면 이는 참으로 짐과 우리 백성들이 감격하여 폐하의 은덕을 잊지 않을 것이다. 지난번 귀국의 공사 웨베르가 돌아갈 때에 나의 속마음을 보여 부탁한 바가 있었다.

참뜻으로 살피기를 오직 바라노라.

대한 광무 11년 4월 20일

한양경성 경운궁에서 서명하고 옥새를 찍노라."

그러나 러시아 외무대신은 만국평화회의에 러시아 대표로 참석중인 넬리도프에게 이준과 이상설이 헤이그에 도착할 경우 만나지 말 것을 지시했다.

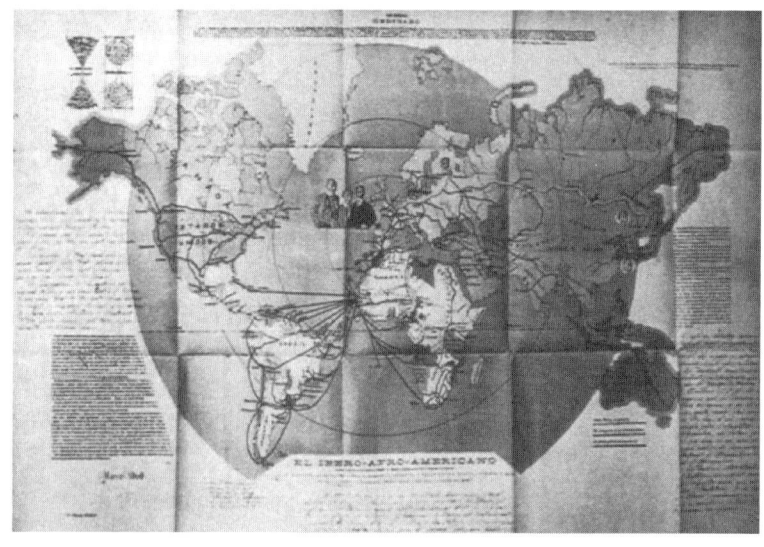

만국평화회의 의장국으로 한국에 초청장까지 보냈던 러시아가 강성해진 일본을 의식하면서 발을 뺀 것이다.

6월 19일, 세 특사는 상트페테르부르크를 출발하여 베를린에 도착했다. 그리고 그곳에서 이위종이 번역한 장서를 인쇄한 후, 6월 25일에 네덜란드의 헤이그에 도착했다.

헤이그에서의 활동

세 명의 특사는 바겐스트라트가 124번지에 있는 드용 호텔 3층에 여장을 풀자마자 곧바로 만국평화회의 제1분과위원회로 찾아갔다.

그리고 그들은 일본의 불법 행위를 의제로 삼을 것을 요구하면서 황제의 친서를 전달했다.

그러나 위원회는 일본의 사주에 의한 고의적 불참자가 많은 가운데 이 제안의 접수를 거부했다.

한편 일본 대표는 특사 도착과 활동에 대해 즉각 본국 외무성으로 보고했다.

고종황제가 만국평화회의에 보낸 친서

대한 광무 황제 친서

"대한광무황제 이희(李熙)는 삼가 글월을 네덜란드 헤이그 만국 평화회의에 보내노라.

뜻밖에 시국이 대변하여 강대국의 침략이 날로 심하여 마침내

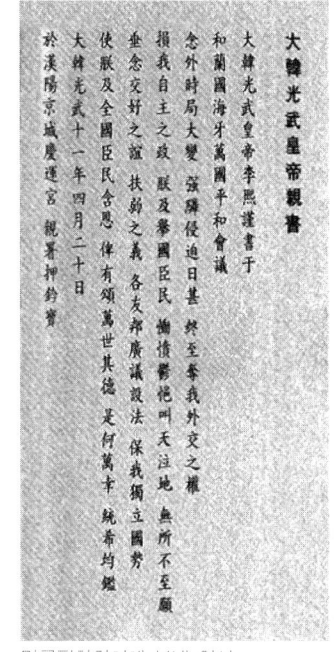

大韓光武皇帝親書

大韓光武皇帝李熙謹書于和蘭國海牙萬國平和會議 念外列局大變强隣侵迫日甚 終至奪我外交之權 損我自主之政 朕及擧國臣民 憤惋鬱怡 天注地 無所不至願 垂念交好之誼 扶弱之義 各友邦廣議設法 保我獨立國勞 使朕及全國臣民含恩 伴有頌萬世其德 是何萬辛 統若均蒙 大韓光武十一年四月二十日 於漢陽京城慶運宮親着押寶

만국평화회의에 보낸 친서

우리의 외교권이 피탈되고 우리의 자주권을 잃게 되었노라.

그리하여 짐과 온 국민은 울분하여 하늘을 보고 부르짖고 땅을 치며 통곡해도 아무 소용없으니 바라건대 우호의 정의와 상부의 의리를 베풀어 세계만방에 발의하고 법을 세워 우리의 독립과 국세를 보전되게 하오.

그러면 짐과 온 국민으로 하여금 그 은덕을 만세에 칭송할 것이니 이는 어찌 만행(萬幸)이 아니리오. 고루 살펴주기 바라노라.

대한 광무 11년 4월 20일 한양경성 경운궁에서 서명하고 옥새를 찍노라."

고종황제가 특사에게 준 위임장에서 밝힌 내용은 다음과 같다.

1. 1905년 11월 18일 조약에서 있었다고 하는 몇몇 각료들의 서명은 위협과 강압에 의한 것이었다는 점.
2. 황제 자신은 각료 누구에게도 서명의 권한을 주지 않았다는 점.

3. 각료회의란 일본인들이 강제로 불러 모은 것으로, 국법에 따른 것이 아니라는 점.

세 특사는 이러한 내용을 밝히면서, 이 조약은 법률적으로 무효임을 선언한 것이다.

고종황제의 헤이그 특사 위임장

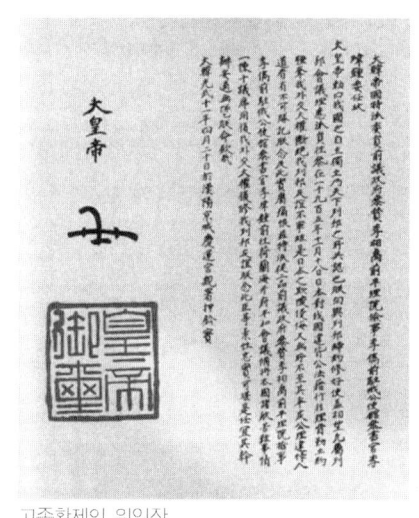

고종황제의 위임장

"대한제국 특파위원 전 의정부 참찬 이상설, 전 평리원 검사 이준, 전 주아공사관 참사관 이위종에게 주는 위임장.

대황제는 칙(勅, 황제의 명령을 적은 문서)하여 가로되 아국(我國)의 자주독립은 이에 천하열방(天下列邦, 세계 여러 나라)의 공인하는 바라, 짐이 지난번 여러 나라로부터 조약을 맺고자 하여 서로 우방으로서 긴밀함을 가진즉, 이제 세계 여러 나라가 평화를 위하여 한 자리에 모이기에 응당 참석함이 마땅한 것인데 1905년 11월 18일에 있어서 일본이 아국에 대하여 나라 사이의 법을 어기고 도리에 어긋난 협박으로 우리의 외교권을 빼앗아 우리의 우방과의 외교를 단절케 하였다.

일본의 모욕적인 침략은 이르지 않은 곳이 없을 뿐더러 그 침략적 야심은 인도에도 위배되는 것이기에 좋게 기록할 수가 없다.

짐의 생각이 이에 미치니 참으로 가슴 아픔을 느끼는 바이다.

이에 여기 종이품 전 의정부 참찬 이상설, 전 평리원 검사 이준, 전 주아공사관 참사관 이위종을 특파하여 화란 헤이그 평화회의에 나가서 본국의 모든 실정을 온 세계에 알리고 우리의 외교권을 다시 찾아 우리의 여러 우방과의 외교관계를 원만하게 하도록 바라노라.

짐이 생각건대 이번 특사들의 성품이 충실하고 강직하여 이번 일을 수행하는 데 가장 적임자인 줄 안다.

대한 광무 11년 4월 20일

한양경성 경운궁에서 서명하고 옥새를 찍노라.

대황제 수결(手決, 사인) 어황보제"

헤이그 특사 위임장은 영문으로 번역되어 〈The Independent〉 지(誌), 1907년 8월호에 게재되었다.

『His Majesty the Emperor of Korea, to whom it may concern : As the independence of Korea has been known to all the Powers with which she has ever been in friendly relation, we have, for this reason, the right

to send delegates to all international conferences which can be convoked for any purpose. But by the terms of the treaty of November 18th, 1905, which was extorted from us by force, the Japanese by menace and by a violation of all international equity deprived us of the right of direct communication with the friendly Powers.

Not recognizing this act on the part of Japanese, we desire hereby to appoint the official of the second rank, Ye Sang Sul, and Ye Choon, ex-Judge of the Supreme Court of Korea, and Prince Ye We Chong, former secretary of legation at St. Petersburg, as Delegates Extraordinary and Plenipotentiary to the International Peace Conference at The Hague, for the purpose of making clear to the representatives of the Powers the violation of our rights by the Japanese and the dangers which presently threaten our country; and also to re-establish between my country and the foreign Powers the direct diplomatic relations to which we are entitled by the fact of our independence.

Considering the three gentlemen above named to be men of high ability and of proved fidelity, we appoint them as our full representatives to the conference at The Hague, in the conviction that they will faithfully serve us and the interests of the nation.

Done at the Palace of Kyung-Oun, in Seoul, this 20th day of the fourth month in the eleventh year of Kwang-Mou. Ye Hyeng.』

하지만 돌아가는 상황이 극히 불리한 것으로 판단하고, 이들은 새로운 방법을 모색했다.

6월 27일에 '일본의 불법 행위'에 대한 내용을 별도로 작성한 후, 28일에 이 문건을 '장서'와 함께 평화회의의 의장과 각국 대표에게 보냈다. 또한 이를 신문을 통해 공표했다.

그리하여 이러한 사정이 각국 신문기자들에게 널리 알려졌다. 특히 영국인 스테드가 회장으로 있는 국제협회의 후원을 얻어

Courrier de la Conférence
DE LA PAIX
Rédigé par WILLIAM T. STEAD

헤이그 3특사의 활동상황 현지 보도
(사진 왼쪽부터 이준, 이상설, 이위종)

그 회보에 장서의 전문을 게재했다.

그리고 29일에는 만국평화회의의 러시아 대표이자 의장인 넬리도프 백작을 방문했다. 그러나 네덜란드 정부의 소개가 없다는 이유로 면담을 거절당했다.

이어서 30일에는 영국, 미국, 프랑스, 독일의 대표를 만나 지원을 호소하려 했으나 역시 거절당했다. 일본이 이미 손을 써 놓았기 때문이었다.

그러는 동안 7월 1일자 미국 신문에 한국의 헤이그 특사 파견 기사가 게재되었고, 국내에는 7월 3일자 〈대한매일신보〉를 통해 헤이그 특사 파견 소식이 전해졌다.

萬國平和會議에 提訴한 控告詞

皇命을 福承하야 貴總代表前에 昭告하노라 向在 韓國이 自主함은 千八百八十四年에 各國의 公認한 바요 卽 現在貴國들도 또한 承認함이러니 千九百五年十一月十七日以後로 日人이 兵權으로 韓國을 逼迫하야 그 固有한 各國과의 國際交涉의 權利를 奪한 지라 故로 今에 特히 日人의 狡謀와 밎 我國의 一切法律과 政權을 破壞한 事를 將하야 詳明히 三條를 作成하야 謹呈하기로 한다.

一은 一切政事를 日人이 韓廷의 允諾을 不待하고 擅히 施行하며
二는 日人이 海軍勢力을 伏하고 韓國을 反對하며

三은 日人이 韓國의 一切法律風俗을 破壞한 것이 이것이다.

貴總統이 公理를 接하야 斷하면 可히 日人이 公法違背함을 知할 것이다. 試驗하노니 곧 韓國이 이미 自主하난地에 어찌 日人으로하야금 我의 國際交涉을 干預케하

만국평화회의에 한국특사 파견 논설이 게재된 〈대한매일신보〉

야 遠東平和의 局面을 震蕩케 하리요. 然이나 오직 日人이 我國의 國際交涉權을 破壞한 故로 弊使等이 비록 弊皇의 全權使命이 有하야도 斯會에 參列치 못하니 此난 弊使等이 深惜하는 바이다.

貴總統은 此에 加意하기를 바란다.

弊國이 國際交涉의 權利를 放棄함이 弊國의 本意가 아니요 日本이 壓制한 緣故이다. 故로 弊使等이 貴總統前에 赴愬하노니 바라건댄 濟弱扶危의 助力을 慨施하야 弊使等으로 하야금 萬國平和轉議에 參列케하야 日人이 韓國에서 一切 施爲를 申訴케하면 幸甚幸甚일가하는 바이다.

大韓光武十一年六月二十七日
西曆紀元一千九百七年六月二十七日

大韓帝國皇帝特派全權密使　李相卨
　　　　　　　　　　　　　李　儁
　　　　　　　　　　　　　李瑋鍾

和蘭國海牙府萬國平和會議長 '넬리도프' 伯爵 閣下

상황이 이렇게 전개되자, 이날 조선 통감부 통감 이토 히로부미(伊藤博文)★가 고종황제를 찾아와 헤이그 특사 파견에 대해 강력히 항의했다.

7월 4일 일본 외무대신은 이토 히로부미 앞으로 헤이그 특사와 관련하여 국내 동태를 파악하라고 전문을 보냈다.

또한 7월 8일에는 친일 단체인 일진회의 회장 이용구가 내각 총리대신 이완용에게 만국평화회의에 특사를 파견하라고 고종황제에게 주청한 자가 누구인지, 을사늑약이 위조라고 유포한 자를 밝혀내라고 요청했다.

한편, 헤이그에서는 7월 9일에 프린세스그라트 6A번지에서 열린 국제협회의 회합에 귀빈으로 초대되어 연설할 기회를 얻게 되었다. 그리하여 이위종이 '한국의 호소'라는 주제로 일본의 한국 침략을 규탄하는 연설을 했다.

이위종은 강제로 체결당한 을사늑약의 경위와 일본의 침략상을 낱낱이 지적하여 폭로·규탄하고, 한국민과 황제는 독립을 열망하고 있으니 세계는 한국 독립에 협조해 줄 것을 호소했다.

그의 열정적인 호소는 각국 언론인은 물론 만국평화회의의 각국

★ 이토 히로부미(伊藤博文, 1841~1909)
일본의 정치가. 막부 정권 타도에 앞장섰으며, 총리대신과 추밀원 의장을 지냈다. 주한 특파 대사로서 을사늑약을 강제로 체결했고, 1905년에 초대 조선 통감으로서 우리나라 국권 강탈을 준비했다.
1909년 통감을 사임하고, 일본 추밀원 의장이 되어 만주시찰을 겸하여 러시아 재무대신과 회담차 중국 하얼빈에 도착했다. 이때 안중근(安重根)에게 총탄을 맞고 죽었다.

대표 및 수행원에게까지 깊은 감명을 주었으며, 이후 각국 신문이 매일같이 한국의 딱한 사정을 논하게 되어 한국에 대한 동정적인 여론이 일어나는 계기가 되었다.

특히, 이위종의 나이가 매우 젊다는 것과 유창한 프랑스어 구사에 많은 외국인들이 놀라움을 금치 못했다.

이렇게 다각적으로 활동하고 있는 중에, 6월 말부터 헤이그에서 이준 열사 일행을 도왔던 미국인

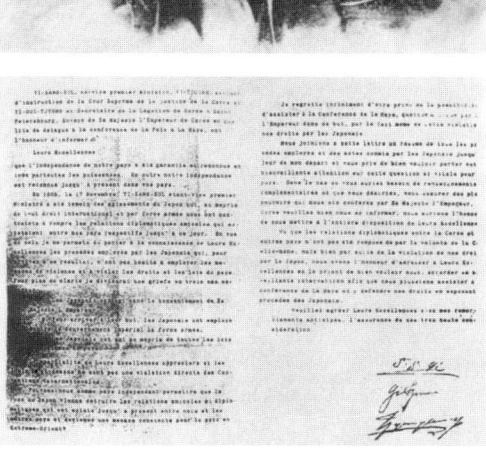

(위) 헤이그 특사 3인. 왼쪽부터 이준, 이상설, 이위종
(아래) 만국평화회의에 참석하게 해 줄 것을 각국 대표들에게 호소하는 호소문과 3대표의 서명. 위로부터 이상설, 이준, 이위종

선교사 헐버트가 부인의 병환을 이유로 7월 10일 미국으로 돌아갔다. 그리고 그 이튿날에는 이위종이 부인이 아프다는 전문을 받고 급히 러시아로 돌아갔다.

7월 11일에는 러시아 대표단의 일원으로 헤이그에 와 있던 차이로코프가 러시아 외무부 장관 이즈볼스키에게 일본의 군함 2척이 네덜란드에 곧 입항할 것이라는 정보를 알리면서, 한국의 특사들이 국제 언론에서 큰 성공을 거두었음을 보고했다.

고종황제가 미국 대통령에게 보낸 친서

대한 광무 황제 친서

"대한제국황제 이희(李熙)는 삼가 글월을 대미대통령 각하에게 보내노라.

짐의 오늘날 정세는 더욱더 어려워져 회고하건대 하소연할 곳이 없다.

이에 각하를 향하여 다만 이런 사정을 말하오니 원컨대 두터운 정을 주시기를 바라노라.

우리나라의 보전과 진흥은 완전히 각하의 염려 여하에 있다.

금번 개최되는 만국평화회의에 쾌히 우리나라가 실상 이유 없는 일을 당하고 있는 것을 밝히게 해 준다면 이런 다행한 일이 어디 있을까 하는 바이라 현하의 정세는 깊은 분개와 한탄으로 견딜 수가 없다.

각하는 특히 우리나라의 무고한 피해를 생각하여 본회의가 개최될 때에 짐의 사절로 하여금 우리나라의 정세를 설명하게 하여 만국의 공론과 정론을 일으킴으로써 우리나라가 원권을 회복하게 되면 짐과 짐의 신민은 감격하여 각하의 혜덕을 잊지 못할 것이다.

　귀국의 전 주한공사 안련혜론(安連薏論)이 돌아갈 때에 나의 속마음을 간절히 말하고, 겸하여 공사에게 부탁한 바가 있었다.

　각하는 이미 알고 있는 줄로 믿는다.

　오직 베푸는 마음으로 받아들이기 바란다.

대한 광무 11년 4월 20일

한양경성 경운궁에서 서명하고 옥새를 찍노라."

돌아올 수 없는 길

한국 특사들의 이러한 활약상이 매일 전 세계에 보도되자 당황한 일제의 격노는 극도에 달했다.

이때 헤이그 주재 일본 공사와 서울의 이토 히로부미 통감 사이에는 중대 음모가 추진되었다.

즉 헤이그 주재 일본 공사로 하여금 평화회의에서 한국 대표를 배척하도록 각국 대표들을 설득하는 한편, 총검으로 고종황제를 위협하여 특사를 보낸 사실이 없다고 부인하게끔 했다.

그리고 이날 일본 측은 한국의 특사들이 갖고 온 신임장이 가짜라고 주장하면서 문제를 제기했다.

이에 대해 확인한 결과, 고종이 신임장을 주지 않았다는 전문이 넬리도프 의장 앞으로 도착했다.

이러한 일련의 음모가 회의장에 회전(回電)되자, 난처해진 넬리도프 의장은 그 책임을 모면하기 위하여 형식상의 초청국인 네덜란드 정부에 그 조치를 떠맡겼다. 넬리도프는 이미 본국인 러시아로부터 한국 대표를 만나지 말라는 지시를 받은 바 있었다.

그리고 1907년 7월 14일……. 네덜란드는 을사늑약을 들먹이며 외교권을 인정할 수 없다고 단정하여 우리 대표들의 참석과 발언을 거부했다.

그러자 넬리도프와 일본 대표 카토 타카키(加藤高明)가 한국 대표의 퇴장을 요구했다.

특사들은 47개국의 위원들에게 소위 만국평화회의의 본뜻에 입각하여 일제의 일방적인 보호권을 파기할 것을 주창하고, 약소국에 대한 무력 침략을 응징하는 대일 항의를 호소하려 했다.

그러나 그것마저 거부되고, 고종황제 명의로 온 '우리는 특사를 파견한 사실이 없다'는 전문을 근거로 퇴장 명령까지 받았다.

이러한 상황에서 이준이 택할 수 있는 길은 과연 무엇이었을까?

이준은 분격하여 다음과 같이 말했다.

(이때 이준이 사용한 언어는 일본어로 알려져 있다. 이준은 와세다 대학 출신으로 일어를 유창하게 구사한다.)

"여러분! 지금 나는 우리 황제의 회전을 부인한다.

천지신명께 맹세하거니와 우리가 밀조를 봉대하였음은 조금도 변함이 없다.

이 답전은 창피한 말이나, 우리나라에 있는 일본의 그 주구들이 협잡하여 꾸민 것이 아니면, 이토 히로부미가 황상(皇上)을 위협하여 만들어진 것일 것이다.

본 대표는 일신을 희생하여서라도 우리 한국 동포들이 모두 저 왜정의 무의 무도에 항쟁하여, 최후의 일인까지 생명을 나라에 바치려는 결심이 있음을 세계 만국에 대하여 실제로 보이려 한다."

이준은 최후의 비장한 말을 마치자 미리 준비했던 보검을 주머니에서 꺼내 들었다.

각국 대표들은 희생이란 말에 다소 의심은 하였지만 설마 하고 있었는데 특사 이준이 별안간 칼을 빼어들므로 너무도 의외의 일이요, 갑작스러운 일이라 놀라서 어리둥절해 했다.

이준은 회의장 내의 경호원의 손이 미처 가기 전에 연설대 위에 섰다.

"대한독립 만세! 세계 약소국가 만세!"

이렇게 크게 외친 후 단숨에 쥐었던 칼로 배를 갈랐다. 솟구치는 신성한 선혈을 만국 사신 앞에 뿌리면서 쓰러진 것이다.

이상설이 좌석에서 일어나 어찌할 바를 모르고 있다가, 달려 나가 이준을 붙들었으나 이미 때는 늦었다. 이상설은 이준을 붙잡고 대성통곡했다.

이 광경을 목격한 각국 사신, 보도기관, 방청하던 인사들은 조용히 이준 특사의 명복을 빌고 있었다.

이윽고 이상설은 네덜란드인의 도움을 받아 이준의 시신을 모시고 숙박하고 있던 호텔로 갔다. 당일은 주일이어서, 국제회의는 개회하였지만 병원은 문을 열지 않았다.

이준 특사의 장례 때에 각국 대표들은 서로 상의하여 조위금을 냈으며, 그 돈으로 통한의 이역만리의 타국 땅 네덜란드 헤이그에서 장지를 마련하여 안장했다.

1907년 7월 15일 오후 2시, 헤이그에서 이상설이 보낸 '이준 열사의 순국' 전보가 부인 이일정 여사에게 도착했다.

서울의 집에서 기거하던 이준의 아들 이용(李鏞)★은 모친 이일정과 함께 시신이라도 수습하여 돌아오려고 일단 러시아로 떠났다.

그러나 시신 모시는 일에 실패했다.

그 후 이일정은 서울로 돌아왔고, 아들 이용은 고려공산당 계열에서 독립 투쟁에 돌입한다.

이위종은 러시아에서 이준이 사망했다는 전문을 받고 헤이그로 다시 왔다. 먼 거리이고 교통편이 마땅치 않은 시대였던 만큼 장례식

★ 이용(李鏞)

개명 전의 이름은 이종승(李鐘乘)이다. 북한 정권 수립과 함께 초대 도시경영상 (장관)을 지냈다. 48년 4월 평양에서 열린 남북 제정당, 사회단체 연석회의에 참석했다가 그대로 눌러앉은 것이다. 그 뒤 이용은 사법상(법무장관)과 최고인 민회의 대의원으로 활동하다, 54년 8월 사망했다.

이용의 무덤은 현재 평양시 외곽 신미동에 있는 애국열사 능에 있다.

김일성 정권의 기틀을 닦는 데 기여했다는 이들을 안장한 곳으로, 북한 성지 중 하나다.

북한은 김정일의 생모 김정숙(49년 사망)이 해방 전 이용을 만난 사연을 전하며, 이준 열사와 김일성 가계의 인연을 강조하고 있다.

이 끝난 후에 도착한 것 같다.

1907년 7월 16일 〈뉴코란트 신문〉은 다음과 같은 기사를 전한다.

『장례 연설도 없었고, 조용히 침묵하는 분위기 속에서 장례가 치러졌다. 같이 왔던 한국 사람이 큰 소리로 통곡하면서 울기 시작했고, 자기의 삶을 앗아간 것처럼 심하게 통곡했다.』

여기서 통곡한 사람은 이상설이었음이 확인되었다.

. 이준의 죽음에 대해 이견(異見)을 말하는 사람들도 있다.

이준을 높이 평가하고 기리는 북한에서는 민영환이 자결할 때 사용한 단도를 이준이 처음부터 몸에 지니고 헤이그로 갔다고 전하고 있다.

북한 영화 '돌아오지 않는 밀사'

영화광인 김정일의 지시에 의해 1978년에 납북되었던 고(故) 신상옥 감독(2006년 사망)이 84년 북한에서 처음 제작한 영화 '돌아오지 않는 밀사'는 이준 열사의 삶과 조국애를 다룬 작품이다.

신 감독은 영화 끝 장면에 만국평화회의에서 미국 대표들의 반대로 이준 열사가 뜻을 이루지 못했다는 내용을 부각했고, 김정일은 여기에 큰 만족을 표시했다고 전해지고 있다.

김정일이 국제 사회의 비난을 무릅쓰고 감행한 신상옥, 최은희 씨 납치사건의 첫 결과물이 이준 열사의 생애를 다룬 영화였다는 사실은 이 열사가 북한에서도 애국지사로 높이 평가되고 있음을 보여 준다.

이준 열사는 북한과 인연이 많다. 생가가 있는 함경남도 북청군 용전리는 북한에 건설하려던 경수로 핵발전소 부지와 가깝다.

2002년 8월 경수로 현장을 방문한 국내의 한 언론사 기자가 돌아본 그의 생가는 말끔하게 페인트칠을 해 관리되고 있었다고 한다.

당시 북한 측 안내원은 "장군님(김정일)께서 6월에 북청 지역을 현지 지도하셨기 때문에 인민들이 깨끗하게 단장을 해놓은 것"이라고 설명했다고 한다.

〈노동신문〉을 비롯한 북한 관영 매체들도 당시에 김정일이 맛 좋은 북청 사과의 산지로 알려진 용전리에 들렀다고 보도했다고 한다.

북한은 애초 초가집이던 이곳을 기와집으로 개축한 후, 이준 열사의 증손자가 살며 관리하도록 했다고 한다.

생가에는 이준 열사가 소지했었다는 '외교 여권'과 헤이그에 있는 고인의 묘비 사진도 전시되어 있다.

주요 유품들은 평양의 조선혁명박물관으로 옮겨 놓았다고 한다.

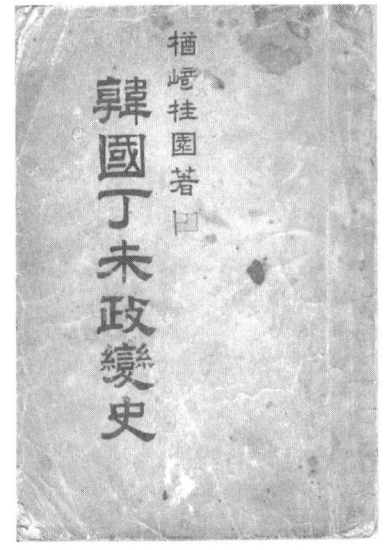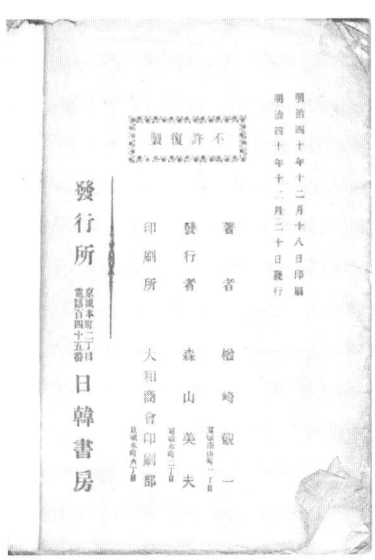

〈한국정미정변사〉 표지(왼쪽)와 발행일, 발행처를 알 수 있는 판권(오른쪽)

이준 열사의 죽음은 독립운동의 기폭제가 되었고, 이준의 순국 정신은 일파만파로 민족사회에 퍼져나갔다.

헤이그 특사 파견과 이준 열사의 순국에 당황한 일본은 고종황제 를 폐위하고 순종을 즉위시켰다. 하지만 이는 고종도 순종도 없는 가운데 이루어진 양위였다.

또한 일본은 궐석 재판을 통해 이상설에게는 사형을, 이위종과 이미 사망한 이준에게는 무기 징역형을 선고했다.

그러는 한편 '정미정변사'라는 자료를 제작하여, 이준의 사인(死 因)을 병사(病死)로 퍼뜨리는 책을 만들었다.

〈한국정미정변사(韓國丁未政變史)〉라는 제목의 이 책은 1907년 10월~11월 사이에 원고를 일어로 급조하여, 서울에 있는 '일한서

방'에서 동년 12월 20일자로 발행한 조작서이다.

이 책을 근거로 사대주의 학자들이 이준 열사의 병사설(病死說)을 퍼뜨리고 있으나, 그 후 일본의 외교관이나 기관원들 간에는 이준 열사의 자결이 정설로 되어 기밀 보고서에도 사용되어 왔다.

이준의 죽음을 놓고 설왕설래하는 억측과 사실

이준 열사는 만국평화회의장에서 장렬하게 할복자살했다고 알려져 있다. 그러나 병사설, 수술 도중 사망설, 조작설 등이 일본과 우리나라 일부에서 주장되고 있는 것도 사실이다.

1) 먼저 당시 자료를 살펴본다.

사건 당시 헤이그 발 〈뉴욕 타임스〉에 '이준의 장례식 후 그의 죽음이 자살이라는 말이 퍼지고 있다'는 기사가 짧게 실렸다.

그러나 어느 신문에도 명확한 사인에 대해 언급하지 않았다.

▶ 당시 일본 대표가 본국으로 보낸 전문에는 '이준 열사가 종기 절개 후 단독에 걸려 어제 사망해 오늘 아침에 매장했음. 자살했다는 풍문이 있으나 단독으로 죽었다는 사실이 세상에 알려질 것으로 믿음'이라고 되어 있다.

그러나 이는 이준의 자결로 일어날 파문을 막기 위한 위계일 뿐이었다. 당시 이준의 얼굴은 깨끗했고, 단독으로 죽는 것은 있을 수 없다는 것이 의사의 소견이다.

▶ 현지의 한 백과사전은 '회의 참석을 못하자 자결했다'로 기록했고, 이 열사가 묻혀 있던 묘지의 100주년 기념 책자에는 '종기설', '자살설' 혹은 '…'이라고 적고 있다.

▶ 1907년 7월 16일자 〈대한매일신보〉 기사는 아래와 같다.
『전 평리원 검사 이준이 만국평화회의에 한국 특사로 갔던 것은 다 아는 사실이거니와 어제 들어온 동경발 전보에 의하면 이준이 분한 마음을 이기지 못하고 자결해 만국사신 앞에 피를 뿌려서 놀라게 하였다 한다.』
황제까지 퇴위시킬 정도의 위세를 지닌 일본이 이준의 죽음에 대해 신경을 곤두세우고 있는 마당에 동경발로 보도한 위의 기사가 허위였을 경우, 의당 신문사나 기자는 처벌을 받았을 것이지만 이 기사로 그 어떤 신문사나 기자가 처벌된 바 없다.

헤이그 시청 문서실 사서가 이준 열사 사망 증명서 원본을 꺼내 보여 주고 있다.

▶ 헤이그 시청 문서실에 보관된 이준 사망 증명서 원본에는 '법관이었고 대한제국에 거주하는 이준은 7월 14일 저녁 7시 헤이그에서 사망했다. 나이는 49세. 함경도 북청에서 출생했고 결혼했으며 기타 아는 바 없다'고 적혀 있고, 사인(死因)에 관한 언급은 없다.

2) 다음은 모략성 소문이다.

단독설, 등창설, 뺨에 난 종기설, 목에 난 종기 수술 도중 사망설, 심장마비설, 분사설(화병으로 사망) 등인데, 일제가 퍼뜨린 이런 소문에 친일파가 동조하여 전파했다. 최근 국내에서도 이준을 시샘하는 일부 무리들이 이런 얘기에 기름을 붓고 있다.

이는 모두 근거 없는 낭설이다. 나라가 망하느냐, 구원을 받느냐는 절박한 상황 속에서 종기 수술을 받을 사람이 어디 있겠는가.

그리고 저들이 들먹거리는 이유들로 쉽게 죽을 사람도 없고, 악을 쓰며 죽는 심장마비도 있을 수 없다.

3) 다음은 실재하는 자료와 전해지는 말을 살펴본다.

▶ 1962년 9월 12일자 〈동아일보〉 제12574호에 정연권 특파원의 현지 취재 기사 내용이 실렸다.

'현지의 두 개 신문이 심장마비설, 또 다른 하나는 수술 후 사망설을 보도하고 있으나 병원은 밝혀지지 않았고, 그곳에서 만난 사람 모두가 이준 열사는 차살한 것으로 알고 있었다'고 보도했다.

또한 '묘지 관리소장 하셀바히는 전임자로부터 자살했다는 말을 확실히 들었다고 했고, 〈하그스꾸란트〉지(紙) 주필 홀스라그는 1925년 신문사에 입사했을 때 당시 평화회의를 취재한 선배 기자들로부터 이준이 자살했다는 말을 들었다'고 했음을 보도했다.

▶ 재야 사학자 고(故) 최인(崔仁)은 그의 저서 〈한국의 재발견〉 190쪽 '이준 열사가 할복 자결' 항에서, '일본인 청유남명(靑柳南冥)

은 일제 문화정책의 앞잡이로서 우리 역사를 헐뜯고 조작하기로 유명한 자인데, 그가 쓴 〈朝鮮의 史話와 史蹟〉에도 이준 열사의 할복 자결을 기록하고 있다'고 밝히고 있다.

또한 최인은 '정체를 알 수 없는 김광희라는 사람이 자기가 이용 (이준의 아들)으로부터 아버지가 병사했다는 말을 들었다고 말하고 다니기도 했는데, 이용은 나의 고향 친구로서 아버지가 할복 자결했다고 나에게 말한 바 있다. 그리고 사학자 유자후가 1947년에 펴낸 〈이준 선생전〉에도 그 당시의 역사가 구체적이고 생생하게 기록되어 있는데, 할복 자결이라고 했다'고 밝혔다.

최인은 이준 열사의 순국과 관련하여 병사설이 나도는 것은 친일 잔재와 시샘하는 습성에서 비롯된 것이라며 의분심을 나타냈고, 이준 열사의 할복 자결은 당시 참석한 해외 인사들에 의해 기술되거나 구술되어 왔다고 했다.

다만 당시 일본의 위세와 자금 살포로, 현지 언론이 제 구실을 다하지 못했기 때문에 오늘의 상황이 온 것이라고 평가했다.

▶ 일성이준열사기념사업회 전 총재이며, 서울시장, 국회의원, 장관을 역임한 고(故) 윤치영은 "어린 시절 일본에 있을 때, 이준 열사의 할복 자결 기사가 당시 신문 호외로 나왔었다. 그런데 정규 신문에는 종기 수술 도중 사망했다는 기사가 나온 것을 어깨 너머로 본 일이 있다"고 증언했다.

▶ 또 다른 얘기들 중엔 이준 열사가 분통이 터져 급서한 것을

이상설이 할복 자결했다고 바꾸어 발표했다는 설도 있다.

그러나 이상설은 자신이 블라디보스토크에서 발행하던 〈권업신문〉에서 이준의 할복 자결을 상기시키고 있다.

그런가 하면 양기탁, 이회영 등이 민족의 분기를 조성하고자 신문에 그렇게 게재했다는 주장도 있다. 그러나 이 또한 일제의 통제하에 있었던 당시에, 허위 보도로 처벌받은 사람이 없다는 점에서 설득력 없는 소설 같은 이야기일 뿐이다.

2007년, 이준 열사의 100주기를 맞이하여 이준 열사에 대해 새롭게 조명하는 분위기가 형성되었다.

그런데 헤이그 사건과 관련하여 근거도 없는 이야기를 가지고 엉뚱하게 끼어들려 하거나, 이준 열사의 '순국 정신' 부각을 시샘하는 소인배적 행태들이 나타나 아쉽기 짝이 없다.

헤이그 사건의 틈새를 파고들어, 자기 조상도 한몫했다는 것을 말하기 위해 이준 열사를 폄하시키려는 듯한 인상을 주는 일부 후손들도 있는데 이는 온당치 못한 일이 아닐 수 없다.

또한 종교적 신념에서 병사설에 동조하고 싶은 심리가 작용하여, 나름대로의 주장을 하는 이들도 있다. 하지만 이 또한 진실을 말하는 자세는 아닌 듯싶다.

특히 우려되는 것은 이준의 할복 자결 또는 할복 분사에 대응하려는 내용들이 자꾸 발전·변화되고 있다는 점이다.

양기탁·이회영 등이 민족을 분기시키기 위해 이준의 죽음을 할복으로 꾸며 기사화했다고 말하는 사람들은, 거기에 더해 헤이그 특사 파견을 고종에게 건의함은 물론 특사 이름까지 대어 추천했다고 주장한다. 그뿐인가. 병사설은 날로 발전하여 새로운 병명이 자꾸 늘어나고 있다.

하지만 이 모든 것이 이준의 할복 자결을 뒤집는 근거가 되질 못한다. 그들의 주장이 입증되는 당시의 자료가 없기 때문이다.

어떤 사실을 뒤집기 위해서는, 확실하고 분명한 근거가 있어야 하지 않겠는가.

당시의 국내외 사정은 오늘과 같지 않았다. 강대국의 약소국 나눠 먹기가 횡행하던 시절이었고, 일제의 국제적 위상이 대단했던 시기였다.

고종황제도 굴복하여 일제가 마음먹은 대로 조정하는 시국에서, 몇 사람이 의논하여 사건을 조작하는 기사를 올렸다 함은 당시 상황을 모르는 철없는 아이들이나 속을 얘기가 아니겠는가.

2007년 이준 열사 순국100주년 KBS 보도 내용

『……(전략) 타국에서 벌인 이준의 외교활동과 죽음은 민족의 혼인 독립정신으로 이어졌다. 식민지 시대 일제의 탄압과 억압 속에서도 줄기차게 이어져온 항일구국운동. 그 밑바탕에 이준이 있었다.

헤이그 특사사건으로 고종을 퇴위시킨 일본은 또 한번 용서받지 못할 만행을 저지른다. 이미 이 세상 사람이 아닌 이준을 상대로 재판을 열어 종신형을 선고한 것이다. 이후 한국이 일본의 식민지로 전락하면서 열사의 유해는 오래도록 고국에 돌아오지 못했다. 그리고 역사는 그를 잠시 외면했다. 헤이그 특사로서의 활동도 죽음도 제대로 조명 받지 못한 채 먼 이국땅에서 근대사의 아픔을 말없이 간직하고 있었다. (후략)…….

나라의 운명이 강대국에 의해 좌지우지되던 그 시절, 낯선 외국 땅에서 외로이 외교활동을 펼쳐온 이준 열사의 노력은 오늘날까지 우리들에게 많은 것을 시사하고 있다.

이준, 그 죽음이 남긴 의미를 다시 한 번 되새겨야 하는 의미도 여기 있다.』

2010년 3월 17일자 영국 〈파이낸셜 타임스〉 7면 내용

『이준 열사가 1907년 헤이그 만국평화회의 참석 시도 실패 후 할복한 지 1세기 만에 한국은 G20 정상회의를 개최하게 되면서 자국의 아픈 역사를 다시 쓰고 있습니다.

한국은 경제위기에서 가장 빠르게 회복했으며, 최대 교역국인 중국과 주요 군사우방인 미국 사이에서 위안화 절상 같은 현안 해결에 나서게 되는 등 국제 외교무대에서도 리더로 부상하고 있는 상황입니다.

전쟁 폐허에서 이제는 일본을 추격하는 아시아 경제 부국으로 성장한 한국을 전 세계 기업들이 주목하고 있습니다.』

일성이준열사기념사업회에서 하고 싶은 말

러시아로 돌아갔다가 이준의 사망 이후에 헤이그에 다시 온 이위종이 전했다는 말은 아래와 같다.

"그가 죽었다는 급보를 받고 믿을 수 없었다. 절대로 생각지도 못한 일이었다. 며칠 동안 그는 음식을 입에 대지 않았다. 그리고 죽기 몇 시간 전 의식을 잃은 것처럼 누워 잠들어 있었다. 그러다가 갑자기 깨어나서 소리쳤다. '조국을 구원하소서. 일본이 한국을 침탈하고 있습니다.' 이것이 그가 남긴 마지막 말이다."

송창주 이준열사기념관장은 "이준 열사는 만국평화회의장이 아닌 당시 숙소였던 드용 호텔에서 순국한 것으로 확인됐다"고 말한다.

이위종과 송창주의 말에 서로 일치점이 있고, 이는 이상설이 이준의 시신을 일단 호텔로 모셨다는 말과도 부분적으로 일치한다.

다만 현장에 없었던 이위종이 누구에게 들은 말이라면, 이상설에게 들었을 것이다.

그러나 이상설은 사건 수년 후 블라디보스토크에서 발행한 〈권업신문〉에 '이준 공이 피 흘린 날' 제하의 글에서 할복 자결한 이준의 죽음을 애도하고 있다.

문제는 이위종이 했다는 말을 그럴싸하게 꾸민 자가 누구냐가 밝혀지지 않고 있다는 점이다.

송창주 여사의 말은 이준의 할복 분사를 시사하고 있다. 이를테면 할복 즉사가 아니라 할복 후 숙소에서 서서히 죽어갔다는 의미가 되는 것이다.

일성이준열사기념사업회에서는 그 어떤 주장이나 가능성도 모두 긍정하면서 이를 수용한 바 있다. 이런 내용은 기념사업회의 홈페이지에 모두 기술되어 있다.

그러나 이준의 '자살', '할복 분사'라고 표기된 일본 문건을 찾은 이상, 기성세대가 교과서를 통해 배운 할복 자결을 증거도 없는 병사설이나 '우리가 민족의 의분심을 불러일으키기 위해 사기 한번 쳤다'는 식의 주장에 호응하여 우리 스스로가 부정할 필요성이나 그럴 만한 가치는 전혀 없는 것이다.

국제적으로 떠들썩한 사건은 아니었지만 남들이 할복 자결로 알고 있고, 우리 스스로가 그렇게 알고 있는 것을 세월이 갔다고 해서 '카더라 통신'으로 무너뜨리는 것이야말로 역사적 사실이나 역사 정의와는 무관한 망국적 질환이 되살아나는 민족의 폐습일 뿐이다.

다음 장(章)에서 당시 상황을 증거하는 사례를 살펴보자.

이준의 자결을 말해 주는 서류들

• 이준의 사망을 '할복 분사'로 표현한 광동 소재 일본 총영사 보고서

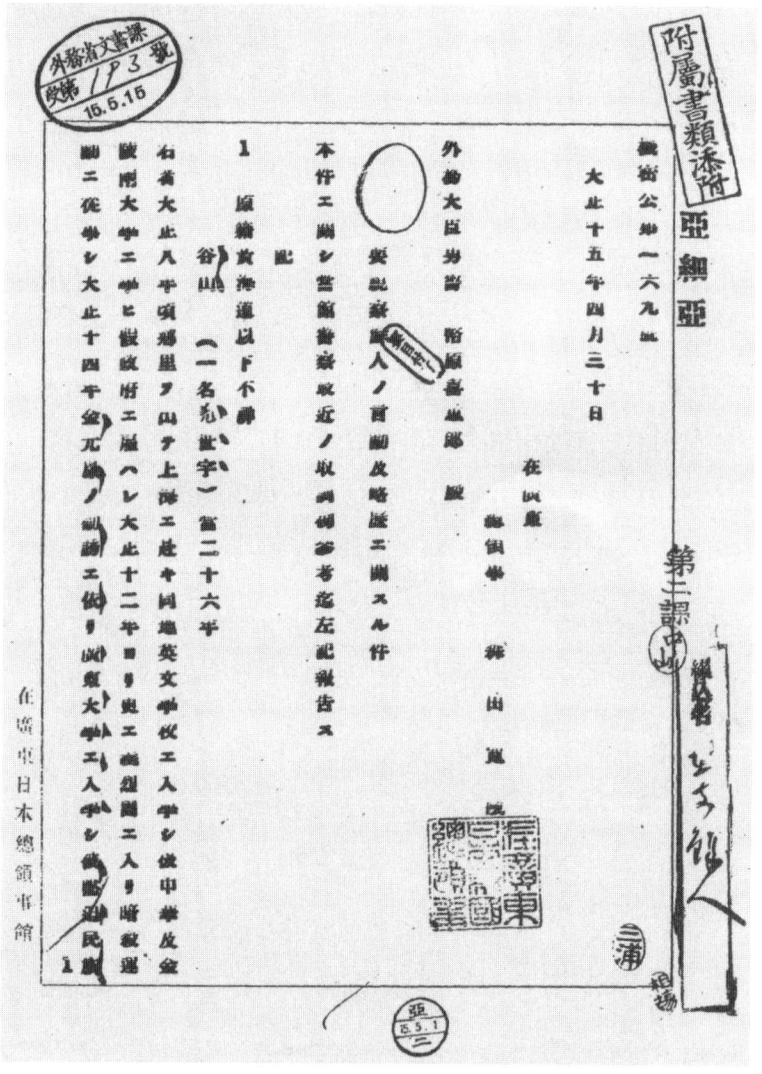

腕力ヲ有スルヲ制セ従来彼ヲ良民ヲ救済セ
継ノ貧逼脳等耳エセス衆顓ノ目的ヲ利刈セサルカ貧弱ナル服装ヲ為シ
衣食ニ窮シ居ルモノハ如夕数ハ他手ヲ得テヲ黄浦半官学校エ入学スルエハ
アラサルヤト目ト列脚往途中ナリ

5 原籍不明

李荀爾　　　當三十八年

右者貴師半百学校附少佐トシテ挑職ニ仕リ俸給百八十元ヲ受ケ居レルカ
本人ノ寅父ハ李瑋トシ忠ヨリ二十年前卽チ日韓條約ノ締結セラレタル
當時半地院ニ於テ李太王ノ侍節トシテ海牙ノ平和會議ニ派遣セラレ同歳
満内ニ於テ尚腹憤死シタル由ナルカ李荀爾ハ寅父死亡後ハ李瑋爾、養嗣
活、李氷燿、李宗爾等ニ就キテ高四室工学ト與工支邦京士官学校ヲ卒業後
西伯利益方面ニ在リテ鮮人軍隊ヲ組織シ北浦州方工山沒シ對日反抗ヲ繼
績シ大正十四年歿滅シ支邦半範及中校等工入リ民國革命工参加シ同術
得ヲ挑燿樵工在リ最近滬國共産黨ノ晩護ヲ受ケ旅帯画革命草人會組織
ノ正唱首トナリ血元風、振斗燿、姜波等ト共工遁働中ナリ

6 原籍平安南道

亞細亞局　第三課

機密　受第 八○號　11.2.15

機密第六八號

大正十一年二月八日

在間島
總領事　堺與三□

大正十二年貳月拾七日記錄係接受

外務大臣伯爵内田康哉殿

高麗共産黨有力者李儁ノ行動ニ聞入ル件

高麗共産黨有力者李儁（舊韓國時代ニ皇帝ノ密使トシテ海牙萬國平和會議ニ赴キ形勢非ナルヲ認メ自殺シタル李儁ノ長男ニシテ在此京文那士官學校卒業不退鮮人有力者）ハ高麗共産黨ノ命ヲ承ケ共産主義ノ宣傳及共産黨武官學校士官生募集ノ目的ニテ配下十名餘ヲ伴

ヒ宇要、額穆、敦化縣ヲ經テ一月二十日延吉縣崇禮
鄕倒木溝ノ自宅ニ到着シタルコト、確ノ得タル
ヲ以テ逮捕方手配中ナリ
右不取敢及報告候

敬具

朝鮮總督
本信寫送付先

※ 이준의 아들 독립군 대장 이용(李鏞)을 추적하는 보고서에서 구한국시대 황제 특사로 헤이그의 만국평화회의에 참석하여 형세가 불리함을 깨닫고 자살한 이준의 장남으로 표기하고 있다.

• 끝까지 이준과 함께 있었던 이상설이 창간한 〈권업신문〉의 논설

隆熙一千九百十二年八月十六日

勸業新聞

론설 論說

이날 是日

〈권업신문〉 제18호(1912년 8월 29일) 1면, 논설 '이날(是日)'

〈권업신문〉 제120호(1914년 7월 19일) 1면, 논설 '리쥰 공이 피 흘린 날'

●이상설이 이준 열사의 자결을 슬퍼하며 읊은 시(詩) 구절

李相卨日抄
峻嶺忠骨碧磨天　大禍居然落眼前
國事未成君巳死　獨生此漢淚盈船

고고한 충골은 하늘을 푸르게 갈아내는데
거연히 큰 화가 눈앞에 떨어져
나랏일은 아직 이루지 못하고 그대 먼저 죽으니
이 사람 혼자 남아 흐르는 눈물이 배 안을 가득 채우는구나.

이상설 선생이 헤이그를 떠나 북해로 향하는 배에서 이준 열사의 자결을 슬퍼하며 읊은 시 구절이다. 그가 이준 열사의 죽음에 대하여 얼마나 애통하게 몸부림쳤는가를 이 시는 잘 새겨 주고 있다.

그는 헤이그에서의 마지막 순간을 이렇게 회고하기도 했다.

"이준을 잃은 것은 나의 큰 슬픔이지만, 그보다 더한 것은 나라가 큰 별을 잃었다는

이상설(李相卨, 1870~1917)

이 엄청난 손실을 어찌 비견할 수 있으랴. 그는 강철 같은 체력을 지닌 강직한 인품의 소유자였다. 일본의 잔인무도한 침략이 그의 애국혼을 너무나 상하게 하여 더 이상 목숨을 부지할 수 없게 하였다. …… 회의장에서 갑자기 일어난 이준은 배를 가르고 장내가 떠나갈 듯한 큰 소리로 '우리나라를 구해 주소서, 일본이 우리나라를 짓밟고 있습니다'라고 부르짖으며 쓰러졌다. 그는 마지막 순간까지 오직 빼앗긴 나라를 되찾고자 구국의 일념만을 불태우고 사라졌다."

● 일제의 통제 속에서 밝힌 국내 신문 보도들

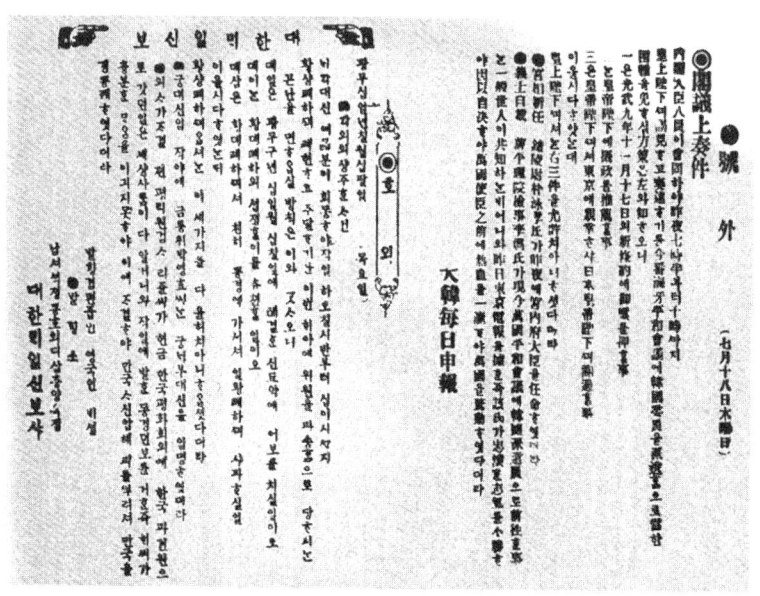

〈대한매일신보〉 호외 (1907년 7월 18일)

● 일제의 통제 속에서 밝힌 국내 신문 보도들

皇城新聞 號外

李氏 自殺說

李氏

大韓光武十一年七月十九日 金曜 二五三六號

「今番海牙萬國平和會議에 李相卨 李儁 李瑋鍾
諸氏等이 參與코즈 하다가 拒絶當하얏난 本
報已揭어니와 電聞혼則該三氏中에 李儁氏난 不勝
憤激호야 自己의 腹部를 割剖自處하얏다는 電報가
同友會中으로 來到하얏다는 說이 有하더라.」

《황성신문》 호외 (1907년 7월 19일)

《대한매일신보》 보도 (1907년 7월 17일)

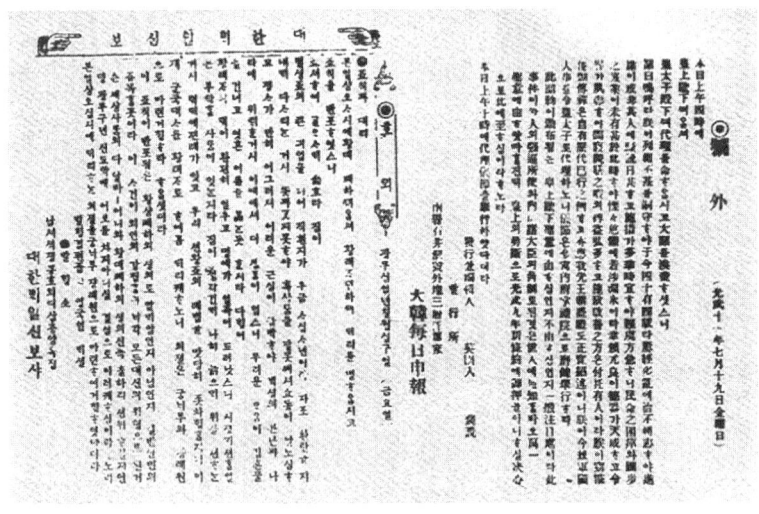

《대한매일신보》 호외 (1907년 7월 19일)

경향신문호외

〈경향신문〉호외
(1907년 7월 19일)

大韓每日申報 · 光武十一七
月十九日陰曆丁未六月初十日己巳(第
五百六十七號) 雜報 (昨日號外再題)

義士自裁

「前平理院檢事 리儁시가 現今萬國
平和會議에 韓國派遣員으로 前往한
事는 一世人이 共知하난바어니와 昨
日東京電報를 據호則 該시가 忠憤호
志氣를 不勝하야 因以自決하야 萬國
使臣之前에 熱血를 一灑호야 萬國을
驚動하얏다더라.」

〈대한매일신보〉호외 (1907년 7월 19일)

●중국 총통 원세개(袁世凱)*의 만시

弔一醒李儁先生
剖胸濺血示心眞
壯節便驚天下人
萬里魂歸迷故國
天家淚灑哭忠臣
豈綠妻子難暝目
爲報君王不有身
大義堂堂懸日月
泉臺應結夷齊隣

가슴을 가르고 피를 뿌려 그 진실된 마음을 보였으니
그 장한 절개 문득 천하 사람이 놀라도다.
만 리에서 혼은 돌아와 고국에 안정을 못하고 헤매는데
어찌 처자를 위하여 눈감기를 어려워했으리.
오직 군왕과 조국 그리고 겨레를 위하여 그 몸을 버렸도다.
당당한 대의가 일월과 같이 높았으니
황천에 가서 백이숙제와 이웃을 같이하리로다.

★ 원세개(袁世凱, 1859~1916)
중국의 군인·정치가이며 총리교섭통상대신으로 조선에 부임하여 국정을 간섭
하고 일본, 러시아를 견제했다. 청일전쟁에 패한 뒤 서양식 군대를 훈련시켜
북양군벌의 기초를 마련하고 탄쓰통 등 개혁파를 배반하고 변법운동을 좌절시
켰다. 이후 의화단의 난을 진압했으며 신해혁명 때 청나라 조정의 실권을 잡고
임시총통이 되었고, 이어 스스로 황제라 칭하였다.

● 韓·日 80년 '受難의 民族史 재정립을 위한 歷史 캠페인' 중에서

『······3인의 밀사라는 점, 고종황제의 친서와 위임장을 휴대했다고 하여 단순한 고종황제의 심부름을 한 것이 아니라는 점, 약소국 대표도 많이 참석하는 국제회의, 세계 언론인의 모임인 '국제기자협회' 등을 택하여 많은 파문을 일으킨 점, 그 열렬한 애국심 등에 있어서 새로운 적극적인 면을 볼 수 있다.

특히 이준(李儁) 열사처럼 이국땅에서 비분강개하여 자결하고 돌아오지 않는 애국지사의 불타는 애국심은 한국 민중에게 실로 큰 영향을 주었다.

당시 일제에 의하여 나라가 멸망의 위기에 직면한 기막힌 상태는 뜻있는 우국지사라면 누구나 비분강개하지 않을 수 없었다. 그중에서도 전 평리원(平理院) 검사 이준과 전 참찬(參贊) 이상설(李相卨)은 비록 중하급 관료이기는 했으나 기막힌 나라의 처지를 누구보다도 통분하고 있던 우국지사였다.』

— 〈조선일보〉 1986년 1월 17일자, 강동진(姜東鎭) *

★ 강동진(姜東鎭, 1925~1986)
　재일(在日) 사학가(史學家). 서울대학교 졸업.
　일본 도쿄대학 역사학 박사. 일본 쓰쿠바대학교 교수 역임.

● 중국계 일본 소설가 진순신(陳舜臣)

『'平和'に名をかりているが, 所詮, 列強の侵略を相互に認め合うための會談のようであった, 三人の密使のうちの李儁は, それに絶望し, 自決して果てた.』
— 黎明に燃ゆ 辛亥革命 中國の歴史 近·現代篇 3 'ヘーグ密使事件後' 중에서

『(만국평화회의는) '평화'라는 이름을 내걸고 있었지만, 결국은 열강의 침략을 서로 인정하기 위하여 모인 회의나 마찬가지였다.
3인의 밀사 중 한 사람인 이준은 이에 절망하여 자결했다.』

● 미국 프린스턴 대학 출판부 발행, 브루스 커밍스 지음(1990년)

『Dulles had attended The Hague Convention in 1907 as a young secretary, a gathering at which a Korean patriot committed suicide when he was not allowed to present the case for his nation's independence.』

『덜레스는 1907년 헤이그 국제회의에 젊은 서기관으로 참석했었는데, 그 모임에서 한국의 독립 문제가 국제회의에 상정되지 않았을 때 한 한국의 애국자가 자살을 감행했다.』

- A History of the Korean People in Modern Times
  1800 to the Present.(1993년)

『Two more Korean patriots, Yi Chun, prosecutor of the Supreme Court and Yi Sang-sol, a former cabinet officer, persuaded Emperor Kojong to send them and Homer Hulbert as emissaries to the Second International peace Conference at The Hague. At the end of June 1907, on Russia's motion, the Koreans were permitted to present their case to the conference. They argued that since the protectorate convention had been signed by Korean officials under severe coercion it was null and void. They asked that Korean independence be restored by the intervention of the powers assembled for the conference.

The Japanese delegate replied that since Korea had granted all diplomatic functions to Japan, these spokesmen were without any authority. The Korean mission there upon was ejected from the conference. Yi Chun, in protest, committed suicide.

Robert T. Oliver』

『또 다른 2명의 애국자, 대법원 검사 이준과 전 국무위원 이상설은 고종황제에게 그들과 호머 헐버트를 헤이그에서 열리는 제2회

만국평화회의에 밀사로 보내줄 것을 간청했다.

1907년 6월말, 러시아의 도움으로 그들은 회의에 그들의 문제를 상정시키기로 허락을 받았다. 그들은 매우 강압된 분위기에서 한국 관리들에 의해 서명된 보호조약은 무효라고 논쟁을 했다.

그들은 국제회의의 조정으로 한국의 독립이 되찾아지기를 요청했다. 일본 대표는 한국이 모든 외교권을 일본에 주었기 때문에 이 대표(밀사)들은 아무 자격이 없다고 응수했다.

따라서 한국 밀사들은 회의장에서 축출 당하였고, 이준은 항의하기 위하여 자살을 했다.

로버트 올리버』

● 일본인 사가(史家)로서 조선연구회(朝鮮硏究會) 주간(主幹)이요, 경성신문사(京城新聞) 사장인 아오야나기[靑柳南冥]가 저술한 〈조선사화(朝鮮史話)와 사절(史蹟)〉이라는 책은, 조선 총독 사이토 마코토[齊藤實]와 학자 기쿠치 겐조[菊池謙讓]가 서문까지 쓴 것으로 조소연구회장(朝蘇硏究會藏)으로 되어 있다.

이 저서 가운데에 이준 열사(李儁 烈士)에 대한 기록이 〈해아밀사비화(海牙密使秘話)〉상·중·하로 되어, 비교적 여러 장 나와 있다.

그 한 곳에 다음과 같은 내용이 실려 있다.

『翌日の 會議場に, 該返電は 會議長より 持ち出された, そして 三人の 密使は, 爲はりの 使節として 會議長より, 卽時 退場を 命せられた 密使の 一人 李儁は 逆上して, 護身用として 所持せし 短刀

を 以て 割腹し, 自殺を 遂けた. 時に 明治四十年 使節等書らす 所の 使命は 査然 失敗に 終つたので, 二人は 更に 別策を 講じ, 此の 平和會議中に 一般外人に.』

위와 같이 이준 열사가 보신용으로 가지고 있던 단도로 할복자살 했다고 설명하고 있다.

일본인들의 입장에서 볼 때에는 할복자살한 것은 자기들에게 큰 타격일 수 있으나, 저자는 일말의 양심을 버리지 못하고 사실대로 저술했다고 보인다.

• 〈李儁 烈士 略史〉東京日 日新聞社 大阪每日新聞社 京城支局長 平野長一 기고 : (상동감리교회 도서 자료) 헤이그 만국 평화회의장에서 밀사의 할복 소동

• 〈中國人 管雪齋의 傳〉, 李儁憂自刎而死

• 〈朝鮮歷史風雲錄〉, 中國人 楊昭全 著, 密使李儁悲憤至 板, 卽 席剖腹自殺, 以示抗汶

• 월탄 박종화, 〈조선일보〉기고문 : 일본총독부 검열관도 이준 열사의 할복 자결을 인정했다.

돌아온 이준 열사

열사가 가신지 38년째인 1945년에 조국광복이 이루어졌고, 바로 그 해에 독립협회 사건 때 이상재 선생에게 무죄 선고하여 파면된 전력이 있는 판사이자 독립투사였던 함태영(뒤에 부통령이 됨)이 중심이 되어 본 '이준열사기념사업회'를 결성했다.

그리고 1962년에 대한민국 건국 공로훈장(대한민국장)이 추서되었다.

황제의 특사로 조국의 국권회복을 위하여 구국의 장도에 올랐으나 뜻을 이루지 못하고 이국에서 순국한 이준 열사.

1963년 9월 26일, 이준 열사의 헤이그 묘소 발굴 작업이 시작되었다. 다음 날 열사의 유해는 비행기 편으로 네덜란드를 떠나 동경에 도착해 주일 한국대사관에 안치되었고, 마침내 9월 30일에 김포 국제공항에 안착하였다. 이 땅을 떠난 지 무려 56년이 지나 백골이 되어서야 비로소 조국의 품에 안길 수 있었던 것이다.

당시 보도되었던 '일성 이준 열사 유해 봉환 및 국민장 공고' 내용은 다음과 같았다.

1. 영봉식 일시 : 1963년 9월 30일 오후 1시
   장소 - 김포국제공항
2. 봉안소 장소 : 건국대학교 구내(낙원동 소재)
3. 봉안식 일시 : 1963년 10월 4일 오전 10시
   장소 - 서울운동장
4. 하관식 일시 : 1963년 10월 4일 오후 3시 30분
   장소 - 수유리 묘소

무언(無言)의 환국(還國). 1963년 9월 30일 열사의 유해가 김포 국제공항에 안착했다. 사진의 안경 낀 여성이 이준 열사의 따님 이종숙 여사.

이준 열사 순국 56년 만에 조국의 땅에서 국민장이 거행되었다(1963년 10월 4일).

1963년 10월 4일, 고단했던 여행을 모두 마친 이준 열사의 유해는 서울 강북구 수유리 묘소에 안장되었다.
수유리 묘는 60cm 정도의 많은 대리석으로 쌓아 올린 길이 40m 높이 5m의 凸자 모양으로 되어 있으며, 중앙에는 열사의 흉상이 새겨져 있고 그 아래에는 묘가, 앞에는 상석(床石)이 놓여 있다. 왼쪽에는 열사의 약력이 동판 비문에 새겨져 있다.

192 이준 열사, 그 멀고 외로운 여정

부 록

서울 중구 장충단공원에 있는 이준 열사의 동상

"무식(無識)과 불학(不學)을 천하에 제일 위험한 것으로 보고, 이를 해소하기 위해 주아로 헌신한 이준 열사야말로 수난의 역사 속에서 가족에 헌신해 온 우리 여성들에게 오늘날 당당히 만학에 힘쓸 수 있도록 용기와 희망을 준 등불과 같은 분이다."

― 이선재(일성여자중고등학교 교장)

이준 열사 연보

- 1859년(己未) 음력 12월 18일 미시 함남 북청군 속후면 용전리 구 중산리 발영동에서 독자로 출생. 본관은 전주(全州), 호는 일성(一醒).
- 1861년(3세) 7월 7일 부친 이병관(李秉瓘) 별세. 같은 달 12일 모친 청주 이씨 별세.
- 1864년(6세) 조부 명섭(命燮), 숙부 병하(秉夏)에게서 글을 배움.
- 1870년(12세) 북청읍(北青邑) 향시에 응시하여 장원이 될 우수 작이었으나 나이 어리다 하여 장원에 넣지 않으므로, 그 작품을 찾아 대중 앞에서 낭독함. 그때에 한학자 주만복(朱萬福)이 감탄하여 자기의 장녀와 결혼하게 함.
- 1875년(17세) 단지 18전의 여비를 가지고 상경함.
  김병시(金炳始) 상공(相公)의 지도를 받게 되었으며, 대원군, 최면암(崔勉菴) 등의 조야 명사들을 만나서 재사(才士)로 인정받음.
- 1879년(21세) 일본인이 강제 개항(開港)을 요구하는 말을 듣고 그 당시 강수관(講修官) 홍우길(洪祐吉)을 찾아 추궁함.

- 1884년(26세) 함경도시(咸鏡道試)에 장원 급제.

- 1885년(27세) 장녀 송선(松鮮) 출생.

- 1888년(30세) 4월 7일 장남 종승(鍾乘) 출생(후에 용(鏞)으로 개명).

- 같은 해 북청(北靑)에 경학원(經學院) 설립. 2,000여 평 토지를 희사하여 지금의 북청농업고등학교가 됨.

- 1893년(35세) 평동 이씨(平東李氏) 일정(一貞)과 결혼.

- 1894년(36세) 함흥 순능 참봉(純陵參奉) 벼슬을 하다가 다시 서울로 올라옴. 청일전쟁 발발.

- 1895년(37세) 우리나라 시초의 법관양성소에 입학하여 우수한 성적으로 졸업.

- 미국에서 귀국한 서재필(徐載弼)과 '협성회(協成會)' 조직.

- 1896년(38세) 한성재판소 검사보에 취임. 임관되자마자 대관(大官)의 타락을 탄핵한 까닭으로 미움을 받아 면관(免官)됨.

- 같은 해 상동교회 청년회 회장에 피선.

- 같은 해 '조선독립협회' 평의장으로 맹활동. 이것이 반대파의 미움을 사게 되었고 드디어 신변에 위험을 받게 되어 장박(張博) 등과 함께 일본에 망명.

- 일본의 와세다대학(早稻田大學)에 입학하여 법학 연구. 동교 졸업과 동시에 귀국.

- 1898년(40세) '조선독립협회'에 재가담하여 '조선독립협회'를 '만민공동회'로 개칭. 종로 가상에 연단을 설치하고 비정탄핵을 하다가 이승만(李承

晚), 이동녕(李東寧) 등 17인과 함께 체포되어 투옥, 수개월 후 석방됨.

■ 1899년(41세) 10월 21일 차녀 종숙(鍾肅) 출생.

■ 1900년(42세) 장녀 송선(松鮮), 조시범(趙時範)의 장손 건학(鍵學)과 결혼.

■ 1902년(44세) 민영환(閔泳煥), 이상재(李商在) 등과 개화당(改華黨)을 조직, 이때 행한 '영일동맹'을 가져오게 한 '동청사변(東淸事變)'이란 연설은 명연설로 남음.

■ 1904년(46세) 대한보안회(大韓保安會)를 조직, 회장 송수만(宋秀晚)이 투옥된 후 심상훈(沈相薰)을 회장으로 맞이하고 이준이 도총무(都總務)에 취임. 정부 성토 연설을 행하는 한편, 일본인에게 대부한 황무지불하 취소 운동을 전개.

－ 대한보안회가 칙령으로 해산되자 다시 대한협동회(大韓協同會)를 조직, 회장으로 당선된 후 악전고투의 결과 일본 공사로부터 황지문권(荒地文卷)을 되찾아 황제께 드림.

－ 시기하는 소인의 무고로 투옥된 후에 성은으로 특사 출옥.

■ 적십자회 회장 취임.

－ 친일 단체 '일진회(一進會)'에 대항하여 만민공진의 뜻으로 '공진회(共進會)'를 조직, 회장으로 당선된 후 정부 대관의 탐관오리를 탄핵, 소인(小人)들의 모략으로 6개월간 황주(黃州) 철도(鐵島)에 정배됨.

■ 1905년(47세) 미국대통령 루스벨트의 영애 엘리스의 내한을 기회로 '한미공수동맹'을 제창.

- 10월 계정(桂庭) 민영환(閔泳煥)과 상의한 후 소위 을사늑약을 방지코자 중국 상해(上海)에 건너갔다가, 민영환의 순국 절사를 듣고 앙천통곡하면서 귀국.
- 10월 12일 손자 열(洌) 출생(용(鏞)의 장남).
■ 1906년(48세) '만국청년회(萬國靑年會)' 회장으로 취임.
  국제 친선 운동을 세계적으로 전개, 완고한 정부에 대한 국정국폐(國政究弊) 진언서 제출.
- 외손 조서해(趙瑞海) 출생.
- '국민교육회' 회장에 취임. 홍재기, 이원긍, 유치형, 유성준, 민병두 등과 더불어 국민교육운동을 전개.
- 국민교육회를 모태로 보광학교(普光學校)를 설립하여 교장을 겸임.
- '한북흥학회(漢北興學會)' 회장으로 서우학회(西友學會)와 합동하여 '서북흥학회(西北興學會)'로 발족. 이갑, 안창호, 이종호 등과 교육사업에 총력을 집중하고, 서북흥학회를 모태로 오성학교(五星學校, 지금의 건국대학교)와 광신상업중고등학교(光新商業中高等學校) 창립.
- '법안연구회(法案硏究會)'를 조직, 회장에 취임.
- 법안연구회를 확대시켜 이면우, 홍재기 등과 함께 '헌정연구회(憲政硏究會)' 조직, 회장에 취임.
- 평리원(平理院) 검사(檢事)에 취임. 특별법원 검사 겸임.
- 8월 '인재등용론'을 정부에 제출.
■ 1907년(49세) 안창호와 새로운 결사 조직.
- 진남포 삼흥학교를 설립한 안중근의 청에 의해 애국 강연을 함.

- 4월 '국채보상연합회' 회장에 취임. 국채보상의 절대 필요를 국민에게 호소.
- 자강회(自强會) 주최로 종로 YMCA에서 '생존의 경쟁'이란 제하의 연설을 통하여 국민에게 경고.
- '한국혼 부활론' 저작.
- 고종황제의 특사로 이상설, 이위종과 함께 헤이그 '만국평화회의'에 참석하여 일본의 침략 행위를 세계에 호소하고 할복 자결(7월 14일).

- 1910년(사후 3년) 손자 활(活) 출생(용(鏞)의 차남).
- 1921년(사후 14년) 차녀 종숙, 유자후(柳子厚)와 결혼.
- 1927년(사후 20년) 외손녀 성천(星天) 출생.
- 1935년(사후 28년) 부인 이일정(李一貞) 여사 별세.
- 1948년(사후 41년) 8월 1일, 체신부에서 이준 열사 순국 41주년 기념우표 2종류 발행.
- 1955년(사후 48년) 외증손자 조근송(趙根松) 출생.
- 1962년(사후 55년) 이준 열사에 건국훈장 대한민국장 추서.
- 1963년(사후 56년) 9월 30일, 헤이그에서 출발한 열사의 유해가 일본을 경유하여 김포공항에 도착한 후, 종로구 낙원동 건국대학교에 설치된 빈소에 임시 안치.
- 10월 4일, 서울운동장에서 국민장(國民葬)을 거행하고, 수유리 장지에 안장(유해의 국내 봉환 성공).
- 1983년(사후 76년) 차녀 이종숙(84세) 별세.

■ 1994년(사후 87년) 국가보훈처와 독립기념관 공동으로 이준 열사를 94년도 이달(7월)의 독립운동가로 선정.

■ 2001년(사후 94년) 5월 25일 서울대학교 법과대학동문회에서 이준 열사에게 '자랑스런 서울법대인 상' 수여.

이준 열사 어록(語錄)

"땅이 크고 사람이 많은 나라가 큰 나라가 아니고, 땅이 작고 사람이 적어도 위대한 인물이 많은 나라가 위대한 나라가 된다.

위대한 인물은 반드시 조국을 위하여 조국의 생명의 피가 되어야 한다."

"인생이 죽는다는 것이 무엇이며 인생이 산다는 건 무엇이냐? 죽어도 죽지 않은 것이 있고, 살아도 살지 아니함이 있나니. 그릇 살면 차라리 죽음만도 못하고, 제대로 죽으면 도리어 영생하느니. 살고 죽는 게 모두 제게 달렸다면 모름지기 죽고 삶을 바르게 힘쓰라."

"만좌부절(萬挫不折, 만 번 꺾이지 않는 것)하는 자주 독립심은 천만의 강병으로도 깨칠 수 없는 것이다.

그리고 억만세 억만인에게 큰 힘과 큰 빛을 주는 것이다."

"국가는 한 사람의 국가가 아니요, 전 민족의 국가이다. 천하는 한 사람의 천하가 아니요 천하 사람의 천하이다."

"천하에 제일 위험한 것은 무식(無識)이요, 천하에 제일 위험한 것은 불학(不學)이다."

"인간이 하고 하는 일은 하고 하고 또 하여야 한다. 하고 하고 또 하다가 후인이 다시 하고 하여야 한다."

"사람의 자신 있는 마음은 천만 개의 대포보다 강하다. 자신 있는 마음은 위대한 인물이 되는 일대 조건이라 하겠다."

"가고 나면 억만리라도 달하고야 말 것이요, 하고 나면 천만사(千萬事)라도 통하고야 마는 것이다.
옛 사람도 가고 하고, 지금 사람도 가고 하고, 후세 사람도 가고 하면 못 갈 길이 없고, 못 할 일이 없는 것이다."

"정치는 힘이라는 말과 같이, 평화는 부강에 있는 것이다."

"가정을 번영케 하는 것은 자손에게 있고, 국가를 융성케 하는 것은 청년에게 있다. 그런데 자손에게 교육의 길을 열어 주지 아니하고 가정의 번영을 바란다거나, 청년에게 교육의 길을 열어 주지 아니하고 국가의 융성을 바란다면, 이는 절대로 이룰 수 없는 바람이라 아니할 수 없다."

이준 열사의 유품(遺品)과 유묵(遺墨)

상하의

(위) 건국공로훈장증 (아래) 즐겨 사용하던 부채 등

벼루. 뒷면에는 탐류연(探流硯)이라는 글자가 있다.

1963년 9월 30일, 헤이그에서 이준 열사의 유해를 봉환하여 김포공항에 도착했던 목관

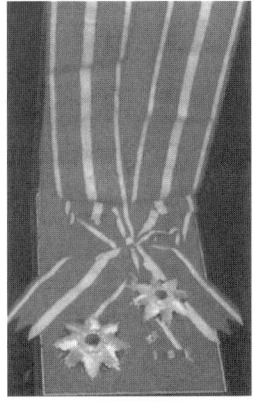

대한민국장

이준 열사 어록 203

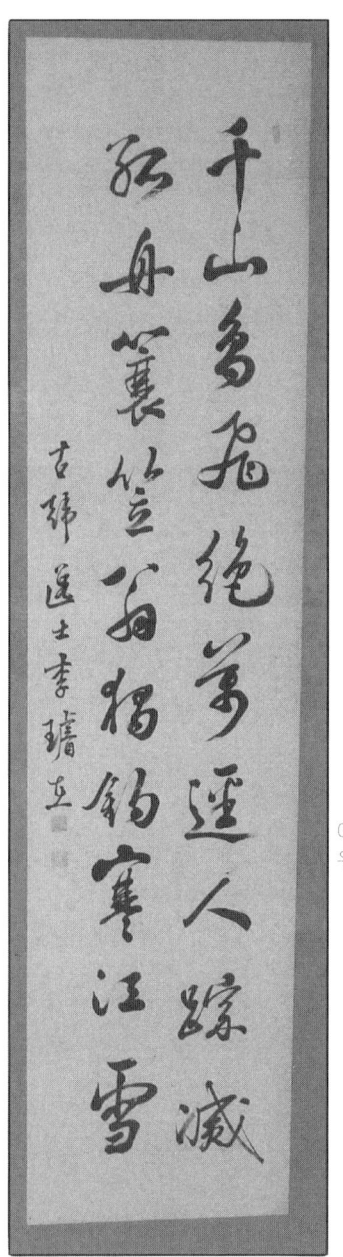

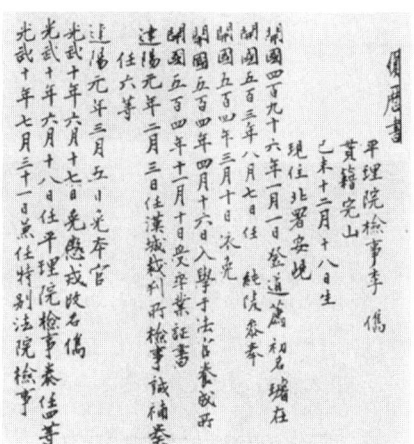

자필 이력서

1948년 10월에 발행된
'대한민국 제1차 보통우표'
이준 열사의 초상이 디자인
되어 있다.

이준 열사의
유묵

이준 열사 순국
41주년(오른쪽)과
100주년(아래) 당시
북한에서 발행한 우표

(사) 일성이준열사기념사업회 연혁

■ 1945년(사후 38년) 조국 광복.

　12월 23일, 이준 열사 순국 후 처음으로 개최된 '순국선열추모제'
에 민영환 등과 함께 배향.

　이날 개회 선언을 한 함태영 선생이 본 회의 초대 총재, 김창숙
선생이 2대 총재를 맡았다.

■ 1946년(사후 39년) 5월 7일 당시의 각계 인사 52인이 '이준열사
추념준비회'를 발기.

　52인 가운데는 이승만, 김구, 홍명희, 여운형, 안재홍 등 좌우의
중요 인사가 모두 포함되어 있다.

　이 준비회가 현재의 '사단법인 일성이준열사기념사업회'의 전신
이다.

－6월 22일, '이준열사추념준비회'는 배재중학교 강당에서 발기인
대회를 개최하고, 부서를 조직.

・고　문 : 이승만, 김구, 여운형, 허헌

・위원장 : 홍명희

- 부위원장 : 한시대, 이영
- 7월 9일, '이준열사추념준비회' 주최로 제2회 강연회를 서울 용산 국민학교 강당에서 개최.
  연사 : 유자후, 고병남, 박용화, 황기성, 김선, 이광호
- 7월 11일, '해아 밀사' 연극(4막)이 광화문 네거리에 있는 국제극장(지금의 감리회관 자리)에서 14일까지 공연.
- 각색 : 김아부 / 연출 : 이백수.
- 7월 14일 오후 2시, '이준열사추념준비회' 주최로 순국 후 첫 추모 기일 행사를 종로구 경운동 소재의 천도교 교당에서 거행.
- 사회 : 김법린 / 식사 : 홍명희 / 역사 보고 : 유자후
  추념문 낭독 : 이영 / 해아 사건 전말 보고 : 정백
  추념사 : 이승만, 김구, 장건상, 성주식
  위문품 증정 : 홍명희 / 답사 : 이용
- 9월, 이준열사추념준비회는 해산하고, 남은 사무 처리를 준비회를 계승하여 발족한 일성회에 인계.
- 1947년(사후 40년) 7월 14일 오후 2시 30분, 순국 제40주년 추념 강연회를 종로 기독청년회관(YMCA)에서 개최.
- 10월 15일, 유자후가 저술한 〈이준 선생전〉을 동방문화사에서 발행.
- 1948년(사후 41년) 7월 14일 오후 1시 30분, 순국 제41주년 추념식을 시공관에서 거행.
- 8월 15일, 김관식 씨가 이준 열사의 묘지를 헤이그에서 발견하고, 이 사실을 일성이준선생기념사업협회에 편지로 알려왔다.

이후, 이준 열사의 유해 국내 봉환에 대한 여론 조성.

- 9월 25일, 유자후가 저술한 〈해아 밀사〉를 일 이준선생기념사업
  협회에서 발행.

■ 1949년(사후 42년) 7월 14일 오후 2시, 순국 제42주년 추념식을
  기독청년회관에서 개최.

- 7월 25일, 홍효민이 유자후의 저술을 참고하여 지은 위인전 〈일
  성 이준 ― 영생의 밀사〉를 치형협회에서 발행.

■ 1950년(사후 43년) 6월 25일, 한국전쟁 발발.

■ 1951년(사후 44년) 50년, 51년에는 추모회 없었음.

■ 1952년(사후 45년) 7월 14일 오전 10시, 순국 제45주년 추념식
  을 부민관에서 개최.

■ 1953년(사후 46년) 7월 14일, 이준 열사 제46주기 추념식 거행.

■ 1954년(사후 47년) 5월 31일, 대한불교종군교포사회총본부 주
  최로 부산 소재의 불교경남교무원에서 이준 열사 추도식을 거행.

- 7월 14일, 이준 열사 제47주기 추념식 거행.

- 12월 29일, 헤이그 열사 묘역에 새로운 비석을 건립.

■ 1955년(사후 48년) 일성이준선생기념사업협회를 사단법인 일성
  이준열사기념사업회로 등록.

- 7월 14일 오전10시, 순국 제48주년 추념식을 시공관에서 거행.

■ 1956년(사후 49년) 7월 14일 오전10시, 순국 제49주년 추념식
  을 시공관에서 거행.

■ 1957년(사후 50년) 3월 15일, 전국애국단체연합회에서 '순국선
  열기념사업전국위원회'를 구성하여 이준 열사의 묘지를 국내로

이장하는 사업을 하기로 결의.

- 7월 14일 오전 10시, 순국 제50주년 추념식을 시립극장에서 거행.

■ 1958년(사후 51년) 7월 14일 오전 10시, 순국 제51주년 추념식을 시공관에서 거행.

■ 1959년(사후 52년) 7월 14일 오전 10시, 순국 제52주년 추념식을 시공관에서 거행.

■ 1960년(사후 53년) 7월 14일 오전 10시, 순국 제53주년 추념식을 시공관에서 거행.

■ 1961년(사후 54년) 7월 14일, 이준 열사 순국 제54주년 추념식을 거행. 이 시기로부터 이준 열사의 유해 국내 봉환을 위하여 적극적으로 활동.

■ 1962년(사후 55년) 7월 14일 오전 10시, 순국 제55주년 추념식을 국민회당에서 거행.

■ 1963년(사후 56년) 7월 14일 오전 10시, 순국 제56주년 추념식을 거행.

■ 1963년(사후 56년) 9월 30일, 헤이그에서 출발한 열사의 유해가 일본을 경유하여 김포공항에 도착한 후, 종로구 낙원동 건국대학교에 설치된 빈소에 임시 안치.

- 10월 4일, 서울운동장에서 국민장(國民葬)을 거행하고, 수유리 장지에 안장.

■ 1964년(사후 57년) 7월, 일성이준열사기념사업회에서 소책자 〈일성 이준 열사 소전〉 발행.

- 7월 14일, 장충단공원에 열사의 동상 건립.
- 7월 14일, 이날 처음으로 이준 열사 추념식(제58주기)을 수유리 묘소에서 거행.

(*1964년 이후 매년 7월 14일 묘소에서 개최한 추념식은 본 연혁에 기재하지 않음.)

■ 1972년(사후 65년) 5월 9일, 이준 열사 기념비를 헤이그 묘적터에 제막.
■ 1973년(사후 66년) 이일정(李一貞) 여사의 묘비를 수유리 열사묘역(烈士墓域)에 세움.
- 12월 15일, 일성이준열사기념사업회의 임원인 이선준(후에 회장 역임)이 저술한 〈일성 이준 열사〉 세운문화사에서 발행.
■ 1977년(사후 70년) 대한민국 외무부 주관 헤이그 묘적지 확장 정화.
  1. 오석 묘비 '일성 이준 열사의 묘적'(박정희 전 대통령 친필) 건립.
  2. 돌 병풍 건립.
  3. 청동상(흉상) 건립.
  4. 애석(艾石)으로 된 상석(床石)과 화병·향로 설치.
■ 1988년(사후 81년) 네덜란드 헤이그의 이준 열사 묘적지에서 자란 '루소니아 화백나무' 세 그루를 식목일인 4월 5일 오전 11시 천안 독립기념관 경내 광복동산에 옮겨 심었다.
  키 130cm의 이 나무는 내무부가 1987년도부터 추진해 온 독립

유공자에 연유한 나무 옮겨심기 사업의 일환으로, 외무부를 통해 헤이그 시에 요청하여 네덜란드 국영항공사 KLM편으로 공수되어 왔다.

헤이그 시장을 대리해서 주한 네덜란드 대사 뎀베르헨 씨와 본회 김형목(金炯穆) 이사장 및 여러 이사, 그리고 독립기념관 안춘생(安椿生) 관장, 천안 군수, 현지 주민 등 여러분의 지원으로 심어졌다.

■ 1991년(사후 84년) 네덜란드에서 일성이준열사추념식준비위원회(회장 李基桓)가 4월에 조직되고, 7월 27일에 헤이그 현지에서 처음으로 추념식을 거행했다.

이 행사를 위해 일성이준열사기념사업회 이선준(李善俊) 회장과 회원, 서울상동교회 이동학(李東鶴) 담임목사와 교우들, 주 네덜란드 최상섭 대사와 임직원, 서울의 불꽃 중창단원과 오현명, 주성희 두 교수, 6·25당시 한국전에 참전한 네덜란드 장병 용사와 유럽 교민 등 많은 인사들이 참석했다.

- 12월 3일 수유리 묘전에 홍전문(紅箭門) 세우다.

■ 1992년(사후 85년) 3월 25일 묘원에 '자유평화수호의상'을 북청 군민회 부회장 차동수 여사의 성금으로 보수 재건.

■ 1993년(사후 86년) 2월 9일 순국 현지 헤이그에서 사단법인 이준 아카데미 설립.

- 5월 6일 독립기념관 경내에 어록비(語錄碑) 건립.
  (차동수 여사와 정덕일 사장의 헌성으로 본회에서 건립)

- 7월 31일 이준 열사 제86주기 추념식을 헤이그 현지에서 두 번째

로 거행.

■ 1995년(사후 88년) 8월 5일 네덜란드에서 이준 열사 순국 88주기, 조국 광복 50주년 기념 유럽 한민족 제전을 개최하고, 이준 열사 기념관을 개관.

■ 1996년(사후 89년) 7월 묘역에 위훈비(偉勳碑) 건립(현대건설주식회사의 헌성과 서울북부보훈지청의 지원으로 본회에서 건립).

■ 1997년(사후 90년) 8월 30일 헤이그에서 이준 열사 순국 90주기, 제2차 만국평화회의 90주년 기념 한민족 평화제전 거행.

– 12월 25일, 탄신 138주년·순국 90주년 특별 기획 도록 〈이준과 만국평화회의〉를 본회 일성사상연구소에서 발행.

■ 2006년(사후 99년) 10월, 2007년 순국 100주년을 각계 참여 범국민적으로 전개코자 '이준열사순국백주년기념사업추진위원회' 결성을 추진.

– 12월 26일, 이준 열사의 순국 100주년 기념사업을 위해 국회 예결위에서 보훈처의 민간 이전 사업 예산을 증액.

■ 2007년(사후 100년) 2월 27일, '이준열사순국백주년기념사업추진위원회' 발대식을 개최하고, 역사 연구, 이준 열사 순국 100주년 학술 세미나를 시행.

– 5월~11월, '이준 열사 순국 100주년 기념 KBS 열린 음악회', '이준 열사 순국 100주년 기념 만국평화기원예술제'(시청 광장), '순국 100주년 추념 제전', '백일장', '기념 음악회', '이준 문학상 제정' 등을 개최하였고, 〈호법영웅 일성 이준 열사〉(단행본)를 집필, 발행.

또한 전재혁 이사장이 국정 TV를 통해 '세계를 향한 평화의 외침' 제하의 강연을 했으며, 아울러 '열사가 완창', '사진 전시회', '어린이 만화' 등 다른 단체와 사업체에서 행하는 일을 지원하고 있다.

(사)일성이준열사기념사업회 역대 대표

연 도	총 재	이사장 (또는 회장)	경 력
1946	함태영		판사, 민족대표 46인, 심계원장, 한국신학대학장, 3대 부통령, 연동교회 당회장
1948	김창숙		유학자, 독립운동가, 임시정부 의정원 부의장, 복역 중 광복, 성균관대학 설립
1950		이성주	신포중학 설립, 독립촉성연맹 부위원장, 서울대약학대학 이사, 치안국장, 국회의원
1955		이대위	사학자, 교수, 고려중흥회후원 회장(재야민족사학자를 지원하는 지식인 조직)
1969	이갑성	한격만	이갑성 : 민족대표33인, 독립촉성국민회 회장, 대한민국 임시국무총리
1981	한격만	김형목	한격만 : 검찰총장, 대법관
1987	윤치영	김형목	김형목 : 영동고등학교(학교법인 해청학원) 재단 이사장
			윤치영 : 국회의원, 내무장관, 서울시장
1989	박설봉	김형목	박설봉 : 상동교회 목사, 협성대 설립
1991		이선준	덕성교장, 서울대동문회 이사, 북청군민회장, 북청장학회 이사장, 일성사상연구소장
1992		이선준	상동(上同)
1999		강원룡	목사, 크리스찬아카데미 원장, 한국방송위원회위원장, 아시아영화제 심사위원장
2001		이연길	동북동지회장, 원산장학회장, 원산시민회장, 북한민주화협의회장, 고려인후원회장
2007		전재혁	중정 교수, 국무총리실 민주이념분석관, 대한신학대 경영학과 교수, 민주시민연합의장

만국평화회의에서 독립 절규,
해아 밀사 이준 열사 추념을 준비

『해아(海牙) 만국평화회의에 한국의 밀사(密使)로 파견되어 조선독립을 웨치는 나머지 만국사진들의 눈아페서 배를 갈라 의혈을 뿌린 고 이준(李儁) 선생의 기일인 칠(七)월 십사(十四)일을 기하여 열사의 뜻을 다 같이 기념하고저 이준 열사 추념 준비회(追念 準備會)에서는 여러 가지 행사를 준비 중인데 동회 발기인은 다음과 같다.

■ 發起人(無順)
권동진, 원세훈, 명제세, 임영신, 오세창, 이규채, 이강국,
김기림, 이승만, 조완구, 장건상, 이종성, 김 구, 김원봉,
김법린, 최익한, 여운형, 정인보, 설의식, 이 인, 허 헌,
백남운, 강기덕, 정홍석, 이종태, 이극로, 조병옥, 유억겸,
김관식, 김여식, 이여성, 이주하, 이시영, 이태준, 조소앙,
장도빈, 홍명희, 이돈화, 이 영, 정 백, 최규동, 김성수,
장 면, 고병남, 방응모, 안재홍, 홍남표, 유태련, 한시대,
권승하, 유영준, 전호엽』

— 〈동아일보〉 기사 (1946년 5월 7일)

〈대동일보〉 기사 (1946년 7월 15일)

본회 주요 추진 사업

1. 역사신문·IPTV 역사방송사 설립.
2. 호법영웅 일성 이준 열사 한국혼 부활 기원 예술제 및 학술대회 개최.
 - 매해 제헌절에 즈음하여 연관 단체 및 시민들이 참여하는 '한국혼 부활' 예술제 개최.
 - 애국 문예활동의 장르를 개척하며, 법치주의와 준법 의식 관련 학술대회와 애국자를 소재로 하는 소설 창작.
 - 노래사랑 누리사랑 노래운동 및 이준 백일장 개최.
3. 추모제 개최 및 '이준 상' 제정 운영.
4. 헤이그의 '이준 기념관' 항구적 존치 추진 및 유품의 문화재 지정.
5. 이준 대학 설립 및 기념관(호법관, 만국청소년평화관) 건립.
   휴전선 일대에 남북한 청년학도가 함께 공부하는 평화대학을 설립하고, 호법관과 청소년유엔총회 개최 공간 건립.
6. IP Media Club 운영.
   본회 연관된 기자와 IP Media 전문가로 IP Media Club(약칭 IPMC)을 결성, 전국 각 지역 신문 및 인터넷판 신문의 기사 작성과 관리를 대행함으로써 본회의 뜻을 확산시켜 나감.
7. 국내외에 대안학교 설립.
   불우청소년 대상의 대안학교를 설립하여 교육을 중시한 이준 열사의 정신을 구현해 나감.

이준 열사의 생가. 북한 금호지구
용정리라는 곳에 위치하고 있다.

이준 열사 생가 안에 보존되어
있는 유품들의 모습

고종황제가 내린 헤이그 특사 위임장(이준 열사 묘역 내)

이준 열사를 추모하는
청나라 총통 원세개의 만시

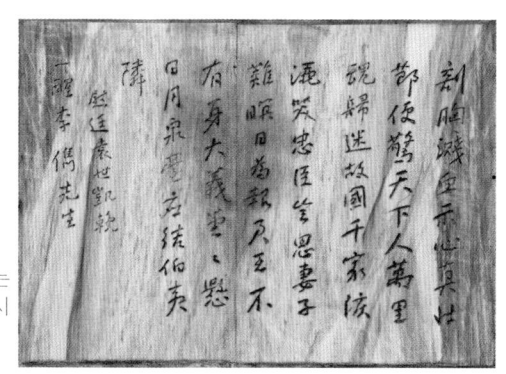

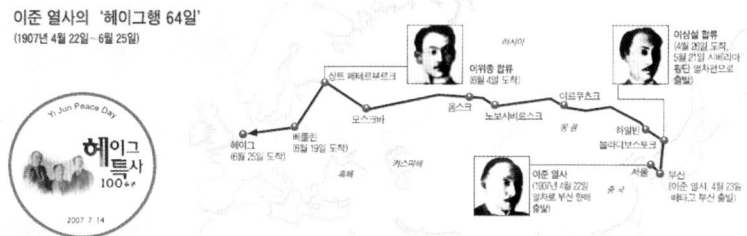

이준 열사의 '헤이그행 64일'
(1907년 4월 22일~6월 25일)

이준 열사의 '헤이그행 64일'의 여정 (1907년 4월 22일~6월 25일)

(위로부터 시계 방향)
• 이준 열사 묘역 전경
• 이준 열사 묘비
• 시제를 마친 후 기념 촬영
  중인 완풍대군파 종회
  임원들
• 같은.묘역에 있는 부인
  이일정 여사의 묘비

218 이준 열사, 그 멀고 외로운 여정

묘역 입구에 있는
'이준 열사 위훈비'

특사 3인이 묵었던 헤이그의
호텔은 이제 '이준 평화 박물관'
이 되었다. 오른쪽 아래는 박
물관에 있는 이준 열사 흉상.

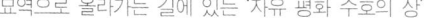

묘역으로 올라가는 길에 있는 '자유 평화 수호의 상'

헌화·분향하는 시민들

이준 묘역 청소를
마친 민주시민연합
봉사단원들

이준 묘역을 참배하는
일성여자중고등학교 입학생들

이준 열사의 주옥같은 말씀을 새긴 동판들이 묘역으로 올라가는 오솔길에 설치되어 있다.

"배움 갈망하기를 농부가 봄에 비를 바라듯이 간절히 하고, 마음 지키기를 항상 밤에 우레 소리를 듣는 것 같이 하라." (이준 열사 친필)

추모사를 하는 한스 하인즈브르크
주한 네덜란드 대사

북청군민회에서 일성 사상에 관해
강연하는, 본회를 이끌어 온
이선준 회장(현 일성사상연구소장)

추모사를 하는 이준 열사의 시조
완풍대군파 종회 이동재 회장

추모제에서 내빈께 인사하는
본회 전재혁 이사장

추념제에서 내빈들에게 인사하는
이선재 일성여자중고등학교장

222 이준 열사, 그 멀고 외로운 여정

이준 열사 순국 100주년 추모제전. '구국의혈', '살신성인' 깃발이 부착된 이준탑

역사음악연구소
어린이 합창단의 공연

이준 열사 순국100주년 기념
'만국평화기원예술제'에서
북청 돈돌나리 팀의 공연

이준 정신을 따르는
일성여자중고등학교
합창단의 공연

이준 열사 작사 '한국혼 부활론'의
작곡가 김희영 님의 공연

이준 예술단(위)과
복천 사자놀이 공연 팀(아래)의
공연 모습

날이 어두워진 뒤까지 자리를 지키며 '만국평화기원예술제'를 관람하는 시민들